Se Former en 1 Jour

Gravure des CD & DVD

Éric Charton

Publié par CampusPress
47 bis, rue des Vinaigriers
75010 PARIS
Tél : 01 72 74 90 00

Mise en pages : CampusPress

ISBN : 2-7440-1216-5

Auteur : Eric Charton

Table des matières

Introduction

Un livre entier pour apprendre à graver des CD ? Est-ce bien utile ? Graver, c'est facile, c'est pas cher, on branche, on clique, et hop ! C'est en tout cas ce que certains aimeraient nous faire croire : en premier lieu les fabricants et les éditeurs, sans oublier les distributeurs, trop heureux de trouver dans le domaine de la reproduction personnelle de CD un marché qui promet d'être juteux !

Halte-là ! En écrasant les prix des graveurs et de leur environnement (CD-R, logiciels), fabricants et éditeurs vous font peut-être un cadeau empoisonné ! Installer un matériel de gravure n'est certes pas très compliqué, de même que les logiciels sont conviviaux et performants... En réalité pourtant, le candidat dupliqueur devra se constituer un bagage technique suffisant s'il veut parvenir à ses fins : copier ou créer n'importe quel type de CD et être capable de le lire !

Car le graveur n'est pas un appareil simple : sa technologie est aussi fiable que sophistiquée. Un laser ultraprécis, qui grave 600 pistes par millimètre en utilisant les propriétés chimiques d'une galette de polymère multicouche, soyez-en certain, et même pour quelques centaines d'euros, ce n'est pas rien...

Résultat ? Des problèmes de gravure récurrents et insolubles pour le néophyte. Des CD universels en apparence, qui répondent dans les faits à une multitude de formats !

Cette joyeuse anarchie, qui devrait rester opaque pour l'utilisateur, devient souvent un véritable casse-tête !

Voilà donc, résumée en quelques paragraphes, la problématique du CD-R et de son graveur. Ce qui nous amène à vous expliquer comment nous allons tenter de graver, ici, sur le papier, les informations essentielles pour que vous, lecteur, graviez facilement et rapidement tout ce que vous voulez sur votre CD-R.

C'est possible ? Bien sûr, suivez le laser !

CE QUE VOUS TROUVEREZ DANS CE LIVRE

Dans un premier temps (qui durera trois "Heures"), nous vous expliquerons les principes théoriques de la gravure. Une première Heure pour apprendre ce qui se cache derrière le "concept" CD-R, une deuxième pour découvrir les normes, du CD-I au CD-ROM en passant par le CD vidéo. La troisième Heure décrira le fonctionnement d'un graveur de CD-R et présentera quelques matériels du marché. C'est en sachant comment ça marche que l'on peut faire face à d'éventuels dysfonctionnements.

Quelques Heures de plus vous aideront à transformer le carton tout neuf rempli de matériel sophistiqué que vous venez d'acheter en station de gravure assemblée : les Heures 4 et 5 sont, en effet, consacrées à l'installation du matériel.

Si vous pensez déjà bien connaître les graveurs et leurs normes, vous estimez probablement pouvoir faire l'économie de ces mornes heures d'apprentissage. Cela tombe bien : les sections de pratique pure commencent à l'Heure 6. Faites-en une lecture attentive ! Vous serez peut-être captivé au point d'être en retard pour les heures suivantes, au cours desquelles nous vous expliquerons comment tout copier, du CD vidéo au CD-Karaoké, en passant par le CD-ROM et les CD de consoles... Nous étudierons également quelques méthodes de copie pour les nouveaux disques que sont les DVD vidéo.

Le temps s'écoule, et vous passez à la phase opérationnelle : de l'Heure 7 à l'Heure 10, vous apprendrez, par la pratique, à graver. Etape par étape, application par application.

A l'Heure 11, nous résoudrons les problèmes les plus courants. A l'Heure 12, vous achèverez la préparation d'un joli CD-R, bien emballé. Enfin, ce livre sera terminé (après une présentation critique des logiciels en Annexe), et vous pourrez vaquer à l'une de ces mille occupations qui vous éloigneront pour un temps de votre PC. La gravure, la copie, c'est fantastique, mais il ne faut pas en abuser !

Icônes spéciales

En plus du texte et des figures, vous trouverez dans ce livre des rubriques qui soulignent certains points particuliers.

Ces rubriques contiennent des définitions, des détails techniques ou d'autres renseignements utiles en rapport avec le sujet traité.

Ces rubriques vous mettent en garde contre des problèmes susceptibles de survenir dans certaines circonstances. Vous êtes aussi averti des erreurs à ne pas commettre. Tenez-en compte pour éviter bien des désagréments.

Ces rubriques indiquent des astuces ou des raccourcis (par exemple, des combinaisons de touches) pour exécuter plus facilement, ou plus rapidement, certaines tâches.

A PROPOS DE CETTE NOUVELLE ÉDITION...

Un dernier petit mot, avant d'entrer dans le vif du sujet, sur cette nouvelle édition, revue et corrigée. La dernière version de ce livre date de 1999. Moins de six mois plus tard, des nouveautés majeures rendaient déjà nécessaire une nouvelle édition mise à jour !

Que s'est-il donc passé de si important en moins d'un an ? Quelques évolutions techniques, déjà :

- La vitesse moyenne des graveurs est passée à 4×.
- Le prix moyen des graveurs 4× a chuté de 2 500/3 500 F à moins de 2 000 F. On trouve même des graveurs à moins de 1 500 F.
- Presque tous ces graveurs intègrent désormais la compatibilité DVD-ROM, en plus de la compatibilité CD-ROM.
- Les logiciels de gravure Nero, Easy CD Creator et WinOnCD, les seuls vraiment exhaustifs sur le marché il y a peu encore, sont désormais en concurrence avec une multitude de (très bons) nouveaux produits, souvent gratuits et diffusés sur Internet !
- Le graveur IDE, jadis mal exploité par les PC, est désormais aussi bon que le graveur SCSI, et beaucoup moins cher ; il bénéficie d'une simplicité d'installation sans faille.

- D'anecdotique, la fonction CD-RW (CD réinscriptible) est devenue pratiquement standard.
- La fonction extraction audio, qui permet de copier des disques audio, est devenue un standard sur tous les graveurs et les lecteurs. Il existe par ailleurs des lecteurs de DVD-ROM abordables et de très bonne qualité qui extraient les séquences audio à une vitesse fulgurante.
- Les méthodes de protection ont considérablement évolué. Résultat : les techniques de copie d'hier sont largement dépassées, ce qui signifie que nous allons devoir remplacer une partie de nos outils de reproduction !

La folie du son et de l'image

Mais ce qui a bien évidemment marqué ces derniers mois, c'est l'hyperactivité des graveurs dans le monde du son et de l'image ! Tout le monde ou presque s'échange du MP3 avec Napster (le plus souvent en toute illégalité), puis grave d'un clic un CD-R.

Il y a aussi les films, avec le DVD vidéo et sa très haute qualité : c'est ce qui justifie en grande partie l'ajout de la mention "gravure des DVD" dans le titre de cette édition. On peut désormais extraire les films que ces disques contiennent et en créer des copies sur CD-R moyennant quelques processus de conversion. Il est ensuite possible de lire ces CD-R *via* la norme CD vidéo sur un lecteur de DVD de salon.

Evidemment, la copie (de sécurité) de DVD n'est pas l'utilisation exclusive que l'on peut faire d'un graveur : le support par tous les logiciels de gravure modernes d'un ou de plusieurs modèles "vidéo" est aussi une bonne

occasion de créer des copies sur support moderne de vieux films, vieilles bandes VHS, ou encore de bandes HI8 issues de nos caméras vidéo.

A la lumière de ces explications, la nouvelle édition de cet ouvrage se place délibérément sous le signe de :

- la copie et la création de disques audio, avec le format MP3 et ses dérivés ;
- la copie et la création de CD-R vidéo, avec une multitude de nouveaux outils.

Napster, c'est quoi ?

Depuis que la musique existe sous une forme gravée, les mélomanes s'échangent leurs cassettes, leurs disques, se font des copies. Cette forme de diffusion illégale de la musique est tolérée par l'industrie du disque —comment interdire la convivialité ? — et des taxes sur les supports vierges (K7 audio surtout) permettent de compenser le manque à gagner.

Imaginez maintenant que quelques dizaines de milliers d'amoureux de la musique, partout dans le monde, se regroupent via *un moyen électronique et, comme jadis entre copains, s'échangent les séquences de musique qu'ils possèdent sur leur disque dur. Le principe est le même, mais, cette fois, ce sont des centaines de milliers de titres qu'il est possible de s'échanger à tout instant, et de graver d'un clic sur un CD-R : voilà ce que permet Napster, logiciel dont le seul objectif est de mettre en relation des individus pour qu'ils s'échangent directement, par Internet, leurs musiques préférées. De disque dur à disque dur ! Malheureusement, Napster marche tellement bien qu'il pourrait devenir interdit par l'action de ceux qui s'estiment lésés : industriels de la musique ou auteurs et interprètes (Metallica a engagé des poursuites contre Napster).*

Napster, MP3 et graveurs sont les représentants des technologies nouvelles face au monde du copyright.

*Malhonnêteté ou non ? Convivialité ou piraterie déguisée ? A vous de voir sur **www.napster.com** !*

En ce qui me concerne, je dirais "piraterie malsaine et généralisée", mais, après tout, Napster, les Polygram, Sony et consorts, ils n'avaient qu'à l'inventer eux-mêmes !

Face à ce déferlement du multimédia sur les CD-R, on peut encore se poser une question : "Que se passera-t-il dans les années qui viennent, et, par voie de conséquence, comment graverons-nous des CD dans ce nouveau siècle ?" On connaît déjà les grandes lignes des évolutions futures :

- Passage progressif de la vitesse standard de gravure 4× à 6× puis à 8×.
- Systématisation de la fonction CD-RW (c'est déjà quasiment le cas), ce qui, à terme, devrait rendre la disquette obsolète, surtout quand cette fonction aura été intégrée à Windows Millennium ou Windows 2000 (Microsoft semble préparer l'intégration de la norme OSTA des CD-RW dans son nouveau système d'exploitation).
- Baisse des prix rapide à moins de 1 000 F pour les graveurs moyenne gamme.
- Intégration de fonctions multimédias nouvelles dans Windows : lecteur de DVD vidéo, lecteur de DVD audio, outils de restitution du Dolby surround. Fonctions qui devraient être aussi utilisables avec des CD-R.

- Cette intégration sera probablement suivie de la gestion directe de la fonction copie de DVD vidéo et DVD audio dans les outils de gravure (alors qu'aujourd'hui, il faut procéder à quelques manipulations extérieures aux logiciels).

QUE LIRE APRÈS CE LIVRE ?

La suite logique de cet ouvrage, publié dans la même collection, concerne la gravure de CD audio : *Se Former en 1 Jour Gravure des CD audio* (voir Annexe). Un thème que nous avons jugé utile de mieux développer, car de très nombreux lecteurs s'y intéressent.

Il existe également un ouvrage bien plus volumineux, très exhaustif, qui reprend tous les thèmes pratiques et techniques abordés dans ce livre, en les développant : *Le Magnum Gravure des CD & DVD* (voir Annexe).

C'est ce livre que nous vous recommandons de consulter lorsque vous cherchez des éclaircissements sur :

- toutes les formes de copies ;
- les spécifications précises de tous les formats de CD ;
- les méthodes de création et de copie de tous les disques du marché ;
- la copie sous Linux et la copie "hybride" de disques PC/Mac.

Un second livre du même type est également paru, accompagné d'un CD-ROM contenant les principales versions de démonstration des logiciels du marché : il s'agit du *Starter Gravure des CD* (voir Annexe).

Quelques questions de base et leurs réponses

Comment les informations sont-elles gravées sur un CD-R ?

Réponse à l'Heure 3.

Qu'est-ce que le XA ? Le mode 1 ? Un Photo-CD ?

Réponses aux Heures 2 et 9.

Quelle est la durée de vie d'un CD-R ?

Réponse à l'Heure 1.

A quoi servent les livres du CD tels que le *Red Book, le Green Book, etc.* ?

Réponse à l'Heure 2.

Combien de temps faut-il pour graver un CD ?

Réponse à l'Heure 3.

Comment copie-t-on un CD-I, un CD vidéo, un CD audio ?

Réponse à l'Heure 6.

Comment écrire à l'auteur ?

A son adresse e-mail : **echarton@worldnet.fr.**

Pour aider mes lecteurs, je m'emploie à entretenir une page personnelle : **http://martignan.com/echarton**, qui recense les bonnes adresses liées à mes ouvrages. Si, dans l'intervalle de la publication de ce livre, une URL change, vous avez de fortes chance d'en retrouver la nouvelle sur ma homepage, alors... n'hésitez pas !

Heure 1

Données importantes sur l'enregistrement de CD

Cette première Heure est consacrée à un peu de théorie. Qu'est-ce qu'un graveur, ? Est-ce que le CD qui en sort est bien un CD ? Qu'est-ce qu'il est possible de faire ? Qu'est-ce qu'il n'est pas possible de faire ? Comment estimer le potentiel des CD-R ?

Du CD-ROM au CD-R

Première étape, différencier le CD-ROM (et, plus généralement, le CD sous toutes ses formes, disque audio, disque multimédia...) du CD-R. Le CD-ROM et le CD audio, tels que vous les achetez dans le commerce, sont des disques très différents de ceux que vous utiliserez avec un graveur.

D'ailleurs, à l'origine, la possibilité de lire des CD (qui allaient devenir les CD-ROM) sur un PC n'était même pas prévue, et encore moins la possibilité de graver soi-même un CD !

Ces CD "du commerce" ont pour particularité d'être gravés de manière industrielle. Ils sont au CD-R ce que le livre imprimé pourrait être à un document photocopié. Ils sont fabriqués à partir d'un moule très sophistiqué connu sous le nom de Glass Master.

Bref rappel : le standard CD fut inventé par deux entreprises, Sony et Philips. Les deux géants de l'électronique, avant tout fabricants de chaînes haute-fidélité, et accessoirement producteurs de disques (Polygram, par exemple, est une filiale de Philips), souhaitaient, par la mise sur le marché d'un nouveau standard, enrayer le phénomène de la copie sur cassettes audio de disques vinyle. De plus, il fallait rénover le parc des lecteurs de disques des consommateurs...

Le CD est donc né du besoin qu'avaient ces fabricants de substituer aux disques vinyle des supports de meilleure qualité. A l'époque, on voulait du numérique. Le standard est donc né et a été consigné dans un ouvrage conjointement réalisé par les deux compagnies : le *Red Book*. Nous y reviendrons à l'Heure 2. Avec cette première norme, il n'était question que de jouir d'un son de qualité dans un salon.

Avec le CD, on bénéficiait d'une qualité numérique, c'est-à-dire identique à celle de l'enregistrement original, qualité jusqu'alors impossible à reproduire telle quelle sur une cassette. On pouvait donc inciter les audiophiles à renouveler leur audiothèque et, surtout, les décourager de faire des copies sur cassettes en habituant leurs oreilles à un son d'excellente qualité !

Cependant, qui dit numérique dit binaire, et donc ordinateur !

Ainsi est né le *Yellow Book*, suite logique du *Red Book*, qui définit comment un CD peut devenir un CD-ROM en remplaçant les données audio numériques par des données numériques tout court, associées à un système de gestion de fichiers. Données numériques, système de fichiers : il ne reste plus qu'à brancher le tout sur un PC ou sur un Mac. C'est notre lecteur de CD-ROM, dont l'électronique et la mécanique sont quasi identiques à ce que vous pourriez trouver dans votre lecteur audio de salon, avec quelques composants informatiques en plus.

Introduction au système binaire
Le système binaire est le langage de base de tous les ordinateurs. Il est fondé sur le postulat qu'il est possible de tout codifier en utilisant les possibilités d'interrupteurs électroniques : c'est éteint (0) ou allumé (1). En assemblant une suite de 0 et de 1 (ce sont les bits), on obtient une combinaison. Huit bits, par exemple, font un octet, soit 256 combinaisons possibles. Le système binaire peut tout reproduire : des sons, des images, du texte. C'est ainsi que fonctionne votre ordinateur.

Il n'est pas encore question de copier : seulement de lire des CD-ROM sur un ordinateur. Tous les éditeurs sont ravis : le grand public n'a pas accès à l'équipement industriel nécessaire pour fabriquer un CD-ROM. Il suffit de stocker 100 Mo de données sur ce support, et le logiciel devient impossible à transférer sur disquettes ou disques durs tant il est volumineux (à l'époque, un disque dur moyen ne dépasse que rarement les 300 Mo). La copie illégale de logiciels — notamment celle des jeux — est ainsi largement enrayée.

Mais on s'avise que le marché du copieur de CD pourrait bien être juteux, d'autant plus que la capacité des CD-ROM (500 à 600 Mo), phénoménale à l'époque, tend progressivement à se banaliser : les disques durs atteignent le gigaoctet et les systèmes de sauvegarde sont presque en mesure de transférer le contenu total d'un CD en quelques minutes.

On invente donc le CD-R, *CD-Recordable*, en écrivant l'*Orange Book*. Peu de gens se sont rendu compte à quel point ce nouveau standard allait révolutionner le marché. Avec un graveur de salon, capable de tenir sur un simple bureau, on est désormais en mesure de faire aussi bien que le mieux équipé des producteurs de musique ou des éditeurs d'encyclopédies multimédias.

Le CD-R est un disque très différent du CD ou du CD-ROM. Vendu vierge, il est conçu pour être écrit (gravé), quand le CD est bien évidemment figé. Nous verrons que ses propriétés physiques et les matériaux qui le composent sont très sophistiqués. Pourtant, prouesse de l'*Orange Book*, le CD-R, si différent du CD, est lisible par n'importe quel lecteur de CD-ROM ou de CD audio.

Bien sûr, dans un premier temps, le coût prohibitif des graveurs (d'abord 30 000 F, puis 15 000 F, puis 5 000 F) a freiné considérablement leur diffusion. Mais chacun sait que, dans le monde magique des ordinateurs, une petite fée s'attache au fil du temps à écraser les prix avec la délicatesse d'un mammouth !

Difficile de savoir jusqu'où baisseront les prix des graveurs. Si l'on s'en réfère à l'évolution du prix des PC, voire à celle du prix des lecteurs de CD-ROM, on peut penser que, d'ici à deux ans, on achètera des PC non plus équipés de lecteurs de CD 40×, mais de graveurs-lecteurs, compatibles DVD ! On peut imaginer que pour 500 F, dans quelque temps, tout le monde pourra graver un CD-R en un tour de main, grâce au logiciel inclus en standard dans Windows 2000 ou Millennium Seconde Edition !

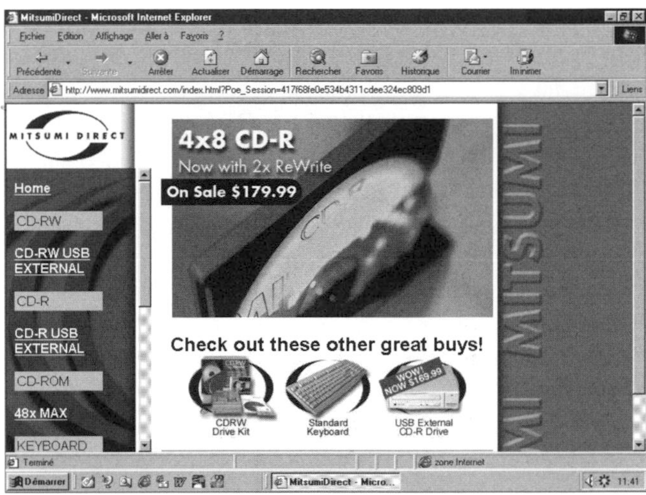

Figure 1.1 : Il est possible d'acheter des graveurs sur Internet ; demain, les PC en seront probablement équipés en standard.

Les graveurs ne sont d'ailleurs pas les seuls dont les prix baissent : les CD-R, d'abord vendus à des prix déraisonnables (sous prétexte qu'ils contiennent une fine couche d'or), sont maintenant à des prix ridicules. Alors qu'on les trouve parfois aujourd'hui à moins de 5 F, seront-ils demain à 1 F ou à 2 F ? Allez savoir...

En tout cas, cette baisse du prix du CD-R n'est pas forcément bonne pour nous : hier, quand on achetait un CD-R à 15 F, on était à peu près sûr de sa qualité. Aujourd'hui, dans bien des cas, acheter une boîte de 10 CD pour 50 F est synonyme de 50 % de taux de rejets et de gravures ratées ! Et là, ce ne sont pas le graveur ou l'utilisateur qui sont en cause, mais bel et bien la mauvaise qualité du support.

Fonctionnement du CD-R

Désormais, CD-R et CD cohabitent dans nos lecteurs (et même, de plus en plus souvent, DVD vidéo et DVD-ROM). Pour comprendre comment c'est possible, le mieux est d'étudier comment ils sont fabriqués.

Les deux technologies, CD-R et CD industriel, ont pour point commun de créer des alternances de cuvettes et de zones planes sur un support matériel recouvert d'une couche de métal. Le tout est pris entre deux morceaux de plastique transparent. C'est la couche de métal gravée qui, en produisant des différences de réfraction de la lumière du faisceau laser, va permettre la lecture des données. Transformées par l'électronique du lecteur de CD en suites de 0 et de 1, ces données, une fois assemblées, constituent des morceaux de musique, des programmes ou des fichiers.

Fonctionnement identique donc pour les deux supports ; nous comprenons maintenant pourquoi un lecteur de CD peut lire à la fois des CD et des CD-R. Quant aux différences, elles se situent au niveau du processus de fabrication :

- **Le CD** du commerce est gravé en série selon un processus industriel, à partir du moulage d'un master (le Glass Master) sur une couche plastique. Cette couche est ensuite prise "en sandwich", avec une feuille d'aluminium, entre deux galettes de matière translucide. Le tout est assemblé puis moulé sous pression. Dernière phase : l'apposition d'une sérigraphie par un processus d'impression classique.

- **Le CD-R**, en revanche, ne peut être pressé par un procédé mécanique. Un graveur de bureau procède à l'aide d'un laser, qui décolore la matière située à la surface du disque pour créer l'équivalent des cuvettes et des zones planes. Les portions brûlées, ne réfléchissant plus la lumière, produisent le même effet qu'un CD industriel sur le laser du lecteur de CD-ROM.

Principe du laser d'un lecteur de CD-ROM

Le mécanisme optique d'un lecteur de CD-ROM est sensible à la présence ou à l'absence de lumière produite par l'impact du laser sur le support. L'absence de lumière correspond à une cuvette (qui provoque une déviation du faisceau), alors que la présence de lumière correspond à une zone plane.

Première constatation : le graveur de CD-R "brûle" le support. Or, qui dit brûlure dit définitif. C'est la caractéristique fondamentale des graveurs, qui ne peuvent graver qu'une seule fois à un même endroit.

Que déduire de tout cela ? Que le principe du CD industriel est idéal pour de grandes séries (au moins mille disques), parce qu'il est rapide, très fiable et très abordable ; que le principe du CD-R est beaucoup plus lent, un peu moins fiable, beaucoup plus cher, mais indispensable pour les exemplaires uniques ou les prototypes en petites séries.

En résumé, les avantages et les inconvénients du CD industriel sont :

- le faible coût pour les grandes séries (parfois moins de 1 F par disque à partir de trois mille exemplaires) ;
- la possibilité de créer des CD imprimés ;

- la rapidité (quelques heures pour plusieurs milliers de disques) ;
- l'impossibilité de tester et de mettre au point des CD (le Glass Master coûte de 1 000 F à 5 000 F).

Nuançons ce dernier point : désormais, le prix du Glass Master est généralement inclus dans celui de la fourniture de la série de CD ou même de DVD. Le problème de la mise au point demeure.

C'est ici qu'interviennent les avantages et les inconvénients du CD-R :

- L'exemplaire unique est à un prix imbattable.
- La mise au point d'un projet est très simple.
- Le système est convivial pour de petites séries (moins de 30 exemplaires).
- L'impression d'une étiquette de qualité est possible, mais coûteuse. Par ailleurs, sauf avec quelques appareils spécifiques, elle demeure sous forme d'un autocollant, moins esthétique que la sérigraphie directement imprimée sur le disque.
- Le prix par exemplaire est élevé (9 F, plus le prix du temps passé et l'amortissement du matériel).

Le décor est posé, il nous reste à explorer les méandres du support !

Données matérielles sur le CD-R

Le CD-R, en raison de son histoire, présente certaines particularités. Et d'abord, il n'est qu'un "produit dérivé" des premiers CD audio. Cette donnée historique explique qu'on parle encore aujourd'hui pour le CD-R de capacité d'enregistrement de son, et non de capacité en mégaoctets.

Cela ne change absolument rien pour nous. En effet, les pistes sonores des disques audio sont gravées comme pourrait l'être un disque dur, avec une suite de 0 et de 1. Par voie de conséquence, pour évaluer la capacité d'un CD-R, il suffit de transformer le nombre de bits correspondant à *n* minutes d'enregistrement en nombre d'octets pouvant être réservés à des programmes.

Les CD-R standard que vous trouverez dans le commerce sont vendus en deux versions, 63 et 74 minutes d'enregistrement. Ces durées correspondent respectivement à 550 Mo et 650 Mo de données. Vous trouverez également des CD-R capables de "surcapacité", qui peuvent recevoir 80 minutes d'informations. C'est la fameuse fonction d'overburning, dont vous avez peut-être entendu parler. Mais, pour graver ce genre de disque, il faut un graveur et un logiciel compatibles. Restons-en pour le moment au pur standard du CD en tant que support.

Comment calculer la capacité d'un CD-R ?

En raison de leur origine audio, les CD sont quantifiés selon la formule minutes:secondes:secteurs. Chaque seconde contient 75 secteurs. Chaque secteur peut contenir 2 048 octets (2 Ko). Un CD-R de 63 minutes peut donc être quantifié selon la formule suivante :

63 minutes × (60 secondes) × (75 secteurs) × (2 Ko) = 567 000 Ko,

soit, pour 1 Mo égal à 1 024 Ko : 567 000 / 1 024 = 553 Mo.

Attention, cette formule s'applique à la gravure en mode 2 (voir Heure 2). D'autres normes réservent des octets pour des corrections d'erreurs et diminuent donc l'espace disponible.

Egaux par leur capacité, les CD-R sont-ils égaux par leur constitution ? Non ! Ils diffèrent par leurs "revêtements", qui conditionnent leur durée de vie (de 10 à 100 ans). Un CD-R est constitué d'une couche inférieure fabriquée en polycarbonate. Cette couche est gravée d'une piste en forme de spirale, "préformée", qui occupe toute sa surface et qui guide le faisceau laser pendant la gravure. Elle est elle-même recouverte d'une autre couche, translucide, qui peut être constituée de matières diverses (certains CD-R haut de gamme sont recouverts de verre). Cet ensemble est revêtu par une couche réfléchissante, souvent constituée d'or (en très faible épaisseur, de l'ordre de 50 à 100 nm), parfois d'argent. La dernière couche enfin, qui recouvre l'ensemble, est en matière plastique. C'est sur cette dernière couche qu'est parfois sérigraphiée une étiquette.

Observation instructive

Vous constaterez, en comparant plusieurs CD-R de marques différentes, que leurs couleurs ne sont pas les mêmes. C'est la surface réfléchissante qui donne sa couleur aux CD. Ceux de couleur verte ont une face réfléchissante en or, alors que les CD gris sont en général recouverts d'argent. La couleur typique de ces métaux distingue les CD-R des disques "industriels", qui contiennent, eux, une couche en aluminium. Si vous observez un CD-R à travers une lampe électrique, vous vous rendez compte que la couche réfléchissante est si fine que vous voyez à travers le support !

Figure 1.2 : Un CD-R.

LA QUALITÉ DU SUPPORT CD-R

Après les données matérielles, nous en arrivons logiquement à la qualité et à la longévité du support ! Un CD-R est-il de qualité égale à celle d'un CD gravé industriellement ? La longévité est-elle de 10, de 100, ou encore de 200 ans ? La qualité d'enregistrement est-elle identique entre un CD à 9 F (prix standard aujourd'hui) et un autre à 40 F ? Autant de questions auxquelles il est délicat de répondre !

Premier élément de réponse : seuls quelques fabricants se partagent le marché du CD-R, quitte à le commercialiser sous de multiples marques. Les principaux sont Kodak, Verbatim, Maxell et TDK.

Un CD-R de 74 ou 80 minutes est-il moins bon qu'un CD-R de 63 minutes ?

Il y a encore quelques mois, il était sans doute vrai que les CD de longue durée étaient globalement de moins bonne qualité que les CD de courte durée. Aujourd'hui, la technologie des graveurs et des disques a considérablement évolué et il n'existe plus aucune différence. Un graveur un peu ancien acheté d'occasion peut toutefois poser des problèmes avec les CD-R de plus de 63 minutes.

Ces fabricants ne produisent pas sur leurs chaînes de fabrication un type unique de CD. Ils utilisent diverses matières. Parfois, la chaîne de fabrication est mal réglée, et quelques milliers de CD n'atteignent pas le niveau nécessaire pour passer le contrôle de qualité que s'impose une marque. Jette-t-on les disques ratés ? Non, on les solde ! Voilà d'où viennent les CD sans label ni marque que l'on trouve en boîtier vierge : d'un grand nom qui ne les trouve pas assez bons pour lui. N'en déduisez pas pour autant que les CD sans marque soient inutilisables ; les risques de devoir les jeter à la poubelle lors d'une opération de gravure sont simplement plus grands.

Pour ce qui est des CD de grandes marques, force est de constater que les fabricants de CD-R se déchirent sur le sujet de la qualité ! Chacun y va de sa technologie, de sa matière. Car la couche des données peut être fabriquée avec plusieurs types de matériaux. Les plus utilisés sont la cyanine et la phthalocyanine. La cyanine existe par ailleurs sous plusieurs formes : Raw Cyanine ou Metal Stabilized Cyanine.

TDK, par exemple, a mené des tests très poussés sur ces deux matériaux. Le fabricant en a déduit que "le Raw Cyanine est un matériau désastreux à utiliser dans des CD-R, en raison de sa trop grande sensibilité à la lumière". Et d'ajouter que : "Une seule exposition à une lampe au xénon suffit pour briser la structure moléculaire du support et le rendre inutilisable." Evidemment, les disques de TDK utilisent le Metal Stabilized Cyanine...

Certains ont résolu le problème en changeant de matériau : ils ont adopté le phthalocyanine, inventé par le fabricant Mitsui et cédé ensuite sous licence à d'autres fabricants.

DURÉE DE VIE DU CD-R

Pour 90 % des utilisateurs, la durée de vie du CD-R est "suffisante" ! Vos fichiers, vos applications et vos données seront conservés au moins 50 ans sur ce support, quelle qu'en soit l'origine, ce qui est très suffisant pour le commun des mortels, qui ne survivra pas à ses archives !

TDK déclare que ses produits Metal Stabilized Cyanine, testés dans des conditions d'accélération de vieillissement, pourraient être garantis pendant 70 années.

Autre son de cloche : un document publié par la société Eastman Kodak en 1995. Les auteurs, Douglas Stinson, Fred Ameli et Nick Zaino, expriment ainsi leur opinion sur la durée de vie des CD-R : "Nous prévoyons que la durée de vie des Photo-CD Kodak et des CD-R, dans des conditions normales de stockage, chez un particulier ou dans un bureau, pourrait atteindre 100 ans, et peut-être plus."

C'est la position officielle de Kodak sur ce sujet. Mais les chercheurs ne s'arrêtent pas en si bon chemin, ils n'hésitent pas à ajouter que, "à leur avis, ce point de vue officiel de Kodak est une interprétation pessimiste de leurs propres recherches", ce qui est une attitude louable pour le consommateur. Selon eux, dans des conditions d'usure recréées, l'estimation la plus optimiste que l'on puisse donner de la durée de vie potentielle d'un CD-R est de 217 ans. Et d'ajouter : "Tout dépend de l'opinion que l'on se fait des conditions de stockage dites normales !"

Pourquoi passer tant de temps à évaluer la durée de vie d'un CD-R ? Parce que ces nouveaux supports peuvent être utilisés pour stocker des documents d'une importance capitale : archives d'une entreprise, données comptables et autres paperasses numériques. Les auteurs

musicaux sont préoccupés plus que quiconque par ce sujet : on sait avec quelles difficultés on rénove les archives sonores du début du siècle, gravées sur microsillons. Si ce travail de restauration, presque toujours transféré sur CD-R désormais, devait être perdu au bout de quelques années, imaginez les investissements perdus. Nous y reviendrons.

Pour nous, les graveurs lambda, il semble raisonnable de ne pas tabler sur plus de 50 ans de vie pour les données contenues sur un CD-R. De plus, pour assurer la longévité de nos CD-R, nous devons nous souvenir qu'un disque exposé à la lumière ou à la chaleur voit sa durée de vie réduite, et qu'un disque de mauvaise qualité est encore plus sensible à la chaleur et aux rayonnements qu'un disque de bonne qualité.

Il faut donc appliquer les préceptes suivants :

- Il faut stocker les CD-R destinés à l'archivage dans des zones à température moyenne et constante.
- Il ne faut pas conserver ses CD exposés à la lumière directe.
- Les données ou archives sensibles que l'on souhaite voir perdurer doivent absolument être stockées sur des CD-R de qualité.
- Les CD à bas prix et sans marque seront réservés en priorité aux données dont la survie n'a pas besoin d'excéder 10 ans.

En ce qui me concerne, j'ai un petit avantage sur vous. Mon livre est enregistré auprès de la Bibliothèque nationale (c'est la loi...), qui dépensera des milliers (des centaines de milliers ?) de francs pour assurer à l'ouvrage papier que vous avez entre vos mains des siècles de survie. Ma postérité est donc assurée, pas besoin de CD-R pour ce livre !

Un auteur important aura encore plus de chance que moi : son livre sera gravé sur des CD-R en verre. C'est très beau, ça coûte très cher, et il paraît que le support est garanti 500 ans !

L'intervention du comité ANSI

Le comité ANSI IT9 tente actuellement de mettre au point une méthode de travail pour estimer la durée de vie des CD-ROM et des CD-R. Les fabricants ont tous tenté de mettre au point des protocoles de test et des modèles mathématiques pour évaluer avec précision la durée de vie de ces supports. Malheureusement, leurs conclusions varient entre 70 et 200 ans ! Un protocole unifié par l'ANSI devrait permettre une évaluation plus précise.

(source Maxell)

Quel type d'informations peut contenir un CD ?

Le graveur de CD-R installé sur votre PC n'est pas limité au seul enregistrement de données informatiques et à leur archivage. Ce n'est que la plus élémentaire de ses fonctions. Le CD-R, parce qu'il est un média, c'est-à-dire un support d'informations, est capable de recevoir presque tout ce qu'un CD peut contenir : des films, des photos, des applications multimédias et même des données audio.

Une fois gravé, le CD-R devient lisible comme un CD du commerce : sur la platine audio de votre chaîne haute-fidélité, si vous avez enregistré des musiques ; sur le lecteur de CD-I ou de DVD vidéo de votre salon, si vous avez gravé une application multimédia compatible avec l'un de ces

formats ; ou encore, sur le lecteur de Photo-CD, si vous avez enregistré des photographies au format Kodak.

Rien ne vous empêche non plus de graver sur PC un disque destiné au Macintosh, et *vice versa*. Le saviez-vous encore, nombre de jeux conçus pour des consoles lisant des CD sont, eux aussi, gravés, dans un premier temps, sur un PC ! Vous verrez à l'Heure 6 qu'eux aussi sont, à certaines conditions, reproductibles !

Le graveur est donc un outil et le CD-R un support, qu'un logiciel de gravure adapté va exploiter. La gravure crée un disque compatible avec l'un des multiples appareils de lecture du marché. Ce qui nous ouvre des perspectives tout à fait séduisantes :

- Les logiciels auteurs nous permettront de créer un disque multimédia, en inventant une application sur un disque dur, que nous graverons ensuite.
- Le graveur de CD-R produira ou reproduira à peu près toutes les formes possibles de CD audio, qui seront lisibles sur n'importe quelle platine.
- Une image sera conservée et consultée sur un CD-R sous tous les formats possibles et imaginables, comme sur un Photo-CD Kodak.
- Les fichiers seront stockés sous toutes leurs formes : on pourra donc sauvegarder sur un CD-R le contenu d'un disque dur mieux qu'avec un dispositif de sauvegarde magnétique.

Figure 1.3 : Easy CD Pro.

Le logiciel est indispensable

C'est le logiciel de gravure, par exemple Easy CD Pro (voir Figure 1.3), qui donne ses capacités de reproduction au graveur. En l'état, le graveur ne sait rien faire. Avec le logiciel approprié, il est théoriquement capable de tout copier, sans exception.

Heure 2

Les normes des CD

On pourrait croire, devant l'apparente simplicité des graveurs et des logiciels, qu'il suffit de cliquer pour graver. Il n'en est rien ! Certes, il existe un seul support CD-R, mais il peut recevoir une multitude d'informations diverses et variées. Pour permettre la gravure de ces différentes sortes de données, des normes ont été inventées au gré de l'évolution du marché et des besoins des consommateurs.

A quoi servent ces normes ? A présenter au périphérique de lecture les données attendues sous une forme acceptée par lui. Ce sont elles qui permettent de créer des standards. Elles vous épargnent également d'avoir à acheter un type de CD-ROM différent selon que vous utilisez un lecteur *x* ou *y*. En quelques mots, nous pourrions résumer ces normes de la façon suivante :

- Le lecteur de CD audio du salon s'attend à ce que vous lui donniez à lire un CD contenant des séquences musicales et que ces données soient "mises en forme" spécifiquement pour lui. C'est une première norme, décrite par le *Red Book*.

- Windows, quand il pilote un lecteur de CD-ROM, s'attend à ce que celui-ci transmette soit des données de type programmes ou fichiers, soit des séquences sonores. C'est une autre norme contenue dans un autre livre, le *Yellow Book.*
- Votre graveur s'attend à ce que vous lui donniez à graver des CD vierges, et il utilisera une technologie particulière pour inscrire des données sur ces disques. Ces méthodes de travail sont contenues dans un troisième livre, l'*Orange Book.*

Ces normes sont dites ascendantes, c'est-à-dire qu'un matériel qui répond à la norme la plus récente peut, sauf exception, faire ce que toutes les technologies précédentes prévoyaient :

- Le lecteur de salon ne comprend donc rien si vous lui donnez à lire un CD-ROM.
- Le lecteur de votre PC, en revanche, sait à la fois lire le son et les données, car le *Yellow Book* reprend les caractéristiques du *Red Book.*

Que déduire de tout cela ? Que vous devez absolument différencier l'aspect logiciel de l'aspect matériel. Le support CD-R est capable de tout recevoir. Votre graveur de CD-R est donc en théorie capable de tout graver :

- des CD-ROM ;
- des CD audio ;
- des CD vidéo ;
- voire des CD-I ou des disques pour consoles !

C'est le logiciel que vous utilisez qui permet de graver l'une ou l'autre de ces normes.

La norme logicielle du CD-R

Commençons par la norme logicielle commune à tous les CD-R et que l'on retrouve par ailleurs sur les CD gravés industriellement. Nous voulons parler des pistes système, déjà inscrites lorsque vous achetez le CD-R. Le format du CD n'a jamais varié depuis l'apparition du DVD. Sa spécification logicielle (c'est-à-dire son formatage de base) se résume à une piste en spirale de 22 188 révolutions, ce qui donne environ 600 révolutions par millimètre. Pour vous donner une idée du volume représenté, si nous déroulions cette spirale, nous obtiendrions une ligne droite d'environ 6 km de long. C'est tout pour le principe matériel du support : tous les CD répondent très exactement à ce format ! Pour avoir une idée de la stabilité technologique que cette constance représente, il faut se rappeler que, dans le même temps, les pistes "bas niveau" des disques durs 3 pouces 1/2, qui sont l'équivalent de celles du CD-R, ont dû être modifiées une bonne cinquantaine de fois !

Du CD au DVD

Le support matériel CD répond toujours au même format physique depuis sa création. Le DVD, qui en reprend les dimensions, organise différemment les données.

Histoire de normes logicielles et de livres de couleur...

Pour ce qui est du support, donc, aucune crainte à avoir quant à la compatibilité, pas plus que de risque d'erreur lorsque vous l'achetez. Le CD-R est universel. C'est l'organisation des données gravées qui varie. Une multitude de

normes et de formats d'inscription des données vont conditionner la compatibilité future de votre CD.

Nous l'avons vu, toutes les normes sont consignées dans des "livres" décrits par couleurs. Ce sont, en quelque sorte, les standards établis par les inventeurs des CD. En voici la liste.

Red Book

Le *Red Book* décrit le format physique des CD audio, ainsi que celui des données logiques : le son codé sous la forme Digital Audio. C'est le format de tous les CD commercialisés pour les lecteurs de salon.

Yellow Book

Le *Yellow Book* décrit le format physique des CD devant contenir des données, ainsi que leur format logique. C'est lui qui décrit les CD-ROM reproduits à grande échelle par l'industrie. La majeure partie des CD-ROM commercialisés répondent aux normes du *Yellow Book*.

Green Book

Le *Green Book* a été conçu par Philips pour décrire le format de ses CD-I (les CD multimédias qui fonctionnent sur des lecteurs de salon de la marque). Le *Green Book* n'est pas très différent du *Yellow Book*. Les disques ainsi gravés sont d'ailleurs lisibles sur un PC, mais non exécutables (les programmes contenus sont prévus pour des processeurs Motorola).

Orange Book

L'*Orange Book* est celui qui nous intéresse paradoxalement le moins, mais qui nous permet aujourd'hui de graver des CD directement sur notre PC. Il décrit le standard et le format physique des CD-R. Ce "livre" est divisé en trois parties :

- Partie I : CD-MO (*Magneto-Optique*).
- Partie II : CD-WO (*Write-Once,* écrire une fois). Ce sont tous les CD enregistrables une seule fois, y compris les Photo-CD et nos CD-R.
- Partie III : CD-RW (*ReWritable,* ou réinscriptible). Ce sont les CD réinscriptibles, qui devraient commencer à apparaître dans nos salons, et qui sont bien sûr compatibles avec la plupart des graveurs actuellement commercialisés.

White Book

Le *White Book* décrit le format des CD vidéo. Ce livre reprend les caractéristiques du *Yellow Book* et du *Green Book,* auxquels on a ajouté des définitions de format vidéo. Les disques du *White Book* sont, eux aussi, lisibles par des lecteurs de CD-ROM.

Blue Book

Dernier arrivé de ces ouvrages de description de normes, le *Blue Book* décrit le format CD-Extra. Ce format, encore relativement méconnu bien que prévu depuis 1995, est en quelque sorte la fusion du CD musical avec le CD-ROM.

Comment reconnaître le contenu d'un disque en l'observant ?

Tous les disques correspondant aux différents livres portent un logo distinctif imprimé : un CD-ROM reçoit un logo Compact Disc Data Storage, un CD vidéo Compact Disc Digital Video, un disque audio Compact Disc Digital Audio, etc.

... ET DES CD-ROM QUI LES UTILISENT

Tous ces livres sont à la fois destinés aux fabricants de matériel (lecteurs de CD et graveurs) et aux éditeurs de logiciels (qui veulent créer des CD compatibles avec certains lecteurs). C'est pour cette raison que l'*Orange Book,* qui définit les graveurs de CD et les technologies des CD-R, ne nous concerne pas vraiment, car il sert à fabriquer le matériel que nous allons utiliser pour fabriquer des disques. En revanche, le *Yellow Book* et le *Red Book* sont essentiels pour nous : c'est en utilisant leurs normes que nous pourrons graver des CD audio (contenant de la musique) ou des CD-ROM. Ils définissent en effet les trois principaux formats de CD, caractérisés par le type de piste qu'ils contiennent, que nous allons pouvoir graver :

- les CD-DA ou CD audio, qui contiennent des pistes DA (*Digital Audio*) ;
- les CD-ROM, qui contiennent des données informatiques sur deux types de pistes, dites en modes 1 et 2 ;
- les CD multisessions et ancien format Extra, qui contiennent les deux types d'informations simultanément.

Différenciez livres et standards

Les livres définissent l'organisation physique des données sur les CD. Les standards sont des "méthodes logicielles" d'organisation ou de compatibilité des données.

Le standard ISO 9660, par exemple, est un standard logiciel d'organisation de fichiers (une méthode de description) qui est inscrit sur des pistes physiques d'un disque compatible Yellow Book *ou* Green Book, *comme une même marque de disque dur peut être utilisée dans un PC ou dans un Mac, sans pour autant que les logiciels soient compatibles sur les deux machines.*

CD-DA

Le CD-DA, plus connu sous le nom de CD audio, répond aux normes du *Red Book*, qui décrivent l'organisation des pistes musicales et la façon dont est stocké leur contenu. Gardons à l'esprit que cette architecture est plus ou moins exploitée par tous les autres types de disques. En effet, la piste du CD-DA est en réalité à l'origine de toutes les autres formes de pistes : simplement, ici, la zone DA (*Digital Audio*) contient des échantillons sonores, stockés sous forme numérique. Un lecteur de CD audio de salon ou un autoradio ne peuvent lire que des pistes DA répondant aux standards du *Red Book*.

DA et MP3

Un petit mot sur la confusion qui peut naître de la convivialité des logiciels de gravure contemporains. Les meilleurs permettent aujourd'hui de faire glisser un fichier son MP3 directement sur une piste de projet de disque DA. De là à croire que vous "gravez du MP3", il n'y a qu'un pas que vous ne devez pas franchir ! Le fichier

MP3 est de qualité DA, mais, lorsque vous le gravez sur un disque compatible CD audio, le logiciel le convertit toujours en pistes DA, telles qu'elles sont décrites ci-avant.

CD-DA Text (Red Book modifié)

Le CD-DA a récemment été amélioré avec un ajout au *Red Book*, dit "chapitreCDText", à partir du postulat que l'inconvénient du CD-DA est son relatif manque d'intelligence. La demande en CD-DA intuitif et informatif existe bien chez l'utilisateur amoureux de gadgets. On le voit avec la norme RDS, qui affiche en clair les stations sur les poste de radio. On a donc cherché d'autres idées. Ainsi est né le CD-Text, un véritable CD audio répondant aux spécifications du *Red Book*, auquel on a ajouté quelques fonctionnalités simples, par exemple diffuser de l'information sous forme de texte comme sur un autoradio RDS. Les pistes d'un CD-Text sont 100 % compatibles DA. Les informations textuelles sont stockées dans une zone jusqu'ici inutilisée des CD-DA : les subcodes. Ces subcodes ne sont pas gérés par tous les graveurs (côté logiciels, ils le sont depuis les versions 4 de Nero, 3.6 de WinOnCD et 4 d'Easy CD). Voilà pourquoi votre station de gravure n'est pas forcément capable de lire ou de reproduire ce type de disque.

CD-Extra

Après le CD du *Red Book*, le premier commercialisé, est né un premier type de CD plus ou moins prévu pour un fonctionnement hybride sur lecteur de salon et micro-ordinateur. Un CD sur lequel sont inscrites deux sessions : la première contenant des données audio, la seconde, des données numériques destinées aux ordinateurs. Nous reviendrons plus loin sur la notion de sessions. Ce CD-Extra a également servi de base à l'élaboration du livre des CD-ROM, que nous allons voir maintenant.

CD-ROM, CD-ROM XA et modes

Le CD-ROM est le CD décrit par le *Yellow Book*. Il peut être gravé en mode 1. Le CD-ROM XA est un CD à architecture étendue, c'est-à-dire intermédiaire entre les CD du *Yellow Book* et ceux du *Green Book*. Définie par Philips et Sony en 1988, cette norme permet aux lecteurs qui la supportent de synchroniser le son avec les données (les programmes) enregistrées sur le disque. Le CD-ROM XA peut être gravé en mode 1 ou 2.

Mode 1

- Un CD-ROM en mode 1 comprend des secteurs de 2 048 octets qui répondent aux normes édictées par le *Yellow Book*.
- FORM-1 contient des secteurs de 2 048 octets de données associés à un système de correction d'erreurs. La correction d'erreurs occupe 464 octets, ce qui donne, au final, des secteurs de 2 512 octets.

Mode 2

- Un CD en mode 2 peut répondre à deux "modèles" d'organisation, celui du mode 1 (format de secteur FORM-1) et celui du mode 2.
- FORM-2 contient des secteurs de 2 324 octets, sans correction d'erreurs, prévus pour contenir des données audio ou vidéo.

Le mode 1 a été mis au point pour les premiers CD-ROM. Le dispositif de correction d'erreurs a été élaboré dans le but, louable, de garantir la bonne qualité des programmes

lus par le PC. En effet, l'ordinateur a ceci de particulier qu'un seul octet mal transmis peut provoquer un défaut de fonctionnement. Ce n'est pas le cas des données audio (définies par le *Red Book*), avec lesquelles un octet défaillant correspond à une fraction de seconde de son mal restitué, inaudible pour le commun des mortels.

Malheureusement, le dispositif de correction du mode 1 ralentit considérablement le débit de lecture du CD en raison du temps pris par le transfert des 464 octets de vérification et leur analyse.

On a donc inventé pour les PC multimédias et les applications vidéo (les CD vidéo entre autres) un mode 2, moins contrôlé, et donc plus efficace lors de la lecture des vidéos et des sons.

Le mode 2 permettant aussi de graver des fichiers de données ou des programmes, il est de plus en plus employé à la place du mode 1 pour garantir une plus grande vitesse d'exécution des applications. La correction d'erreurs est d'une utilité toute relative vu la fiabilité des CD-ROM actuels : il est en effet très rare que ces derniers altèrent une donnée.

Les sessions

Une session est une portion du disque composée de pistes d'un format donné : par exemple, du son, ou des programmes pour PC. Un disque multisession peut contenir, par exemple, une première session contenant des séquences sonores lisibles par un lecteur de salon, organisées selon les spécifications du *Red Book*, associée à une seconde session contenant des données organisées selon le *Yellow Book*, et destinées à être lues par un lecteur de CD-ROM de PC.

Le principe du mode multisession est simple : si vous gravez 150 Mo sur un disque prévu pour recevoir 600 Mo, il reste un espace libre de 450 Mo. Autant utiliser le disque au maximum de sa capacité en gravant à nouveau jusqu'à ce que tout l'espace soit occupé. Auparavant, cette possibilité était restreinte : d'une part, vous ne pouviez écrire une nouvelle session que si votre CD-R n'était pas "clos", c'est-à-dire verrouillé en écriture et impropre à une nouvelle gravure ; d'autre part, tant que le disque n'était pas clos, vous ne pouviez pas le lire avec tous les lecteurs de CD, la mauvaise gestion du mode multisession ayant été un défaut récurrent des premières générations de lecteurs de CD-ROM. Désormais, tous les lecteurs savent lire ce type de disque, y compris ceux de Windows 98 et de ses successeurs.

Origine du mode multisession

Le mode multisession a été mis au point pour Kodak et ses Photo-CD. L'idée était qu'un CD-R contenant des photos, sans pour autant être rempli, pouvait être réutilisé pour ajouter de nouvelles photos dans une nouvelle session. Dans les faits, cette possibilité, techniquement réalisable, n'a pas été commercialisée par les laboratoires de Kodak.

Attention ! Le mode multisession est rendu possible par le système d'exploitation. Ce dernier doit être capable de se rendre compte qu'un disque contient d'autres sessions que celle qui a été enregistrée en premier. Windows 95, par exemple, n'est pas toujours capable de lire plusieurs sessions enregistrées sur un même CD : c'est le pilote du lecteur qui ajoute cette fonction ! Pour lire de multiples sessions, vous devrez donc parfois installer un logiciel complémentaire (les pilotes SCSI de Corel, par exemple, savent ouvrir plusieurs sessions).

De la méthode pour organiser les fichiers sur les CD !

Le système de fichiers d'un matériel de stockage de données est le dispositif d'organisation des données qu'il contient (programmes, fichiers... tout, du .exe au .doc, en passant par le .wav). Tous les disques durs, les lecteurs de disquettes, voire les périphériques de sauvegarde à bandes sont munis d'un système de fichiers.

Un CD-ROM contenant des fichiers ne fait pas exception à cette règle : il a une piste de base, qui sera forcément organisée avec un système de fichiers, exactement comme le serait un disque dur, avec des répertoires structurés en arborescence contenant d'autres répertoires et fichiers. Le CD-R est soumis aux mêmes contraintes.

On pourrait comparer le système de fichiers à la signalisation sur une route. Une route vierge peut recevoir des voitures mais, sans signalisation, pas d'organisation. Avec les bandes blanches, les panneaux, les Stop, c'est organisé, et tout le monde cohabite (enfin presque...).

Les CD sous MS-DOS et Windows

Les CD sous Windows répondent à plusieurs normes, qui suivent l'évolution historique du système, depuis les premiers lecteurs de CD-ROM installés sur PC, à l'époque du MS-DOS 3.x, qui fonctionnaient avec une interface archaïque, l'ISO. L'ISO a été en vigueur jusqu'à la première génération de systèmes graphiques évolués, Windows 9x et supérieurs. Ces derniers ont adopté un nouveau format, le Joliet, inspiré du système de fichiers qui existait sur Macintosh, bien plus convivial.

ISO 9660

L'ISO 9660 est l'un des formats standard d'organisation de fichiers. Il est souvent appelé format High Sierra, du nom de l'hôtel où ses concepteurs se réunirent pour le définir. L'ISO 9660 limite la taille des noms de fichiers à celle que l'on trouvait sur les anciennes versions de Windows ou de MS-DOS : sept caractères, un point et une extension de trois caractères (xxxxxxx.yyy). Attention, l'ISO 9660 ne reconnaît pas les caractères spéciaux ($, £, et autres) de MS-DOS : il est strictement limité aux lettres et aux chiffres. Ajoutons que la profondeur des sous-répertoires est limitée à huit niveaux (contrairement aux autres systèmes, qui ne sont pas limités).

Structure de fichiers de la norme ISO 9660 selon le Yellow Book

Le Yellow Book indique que les données contenues sur un CD débutent après une pause de 2 secondes. Ce qui sous-entend que les deux premières secondes d'un CD-R ne sont pas disponibles pour enregistrer des données. Ce qui nous donne un espace perdu de :

(2 s) × (75 secteurs) × (2 Ko) = 300 Ko

Par ailleurs, la norme ISO 9660 exige pour l'enregistrement de sa structure :

- *fichier du répertoire principal : 1 secteur au minimum ;*
- *tables des chemins : 2 secteurs au minimum ;*
- *descripteur du premier volume : 1 secteur ;*
- *terminateur du descripteur de volume : 1 secteur ;*
- *réservé pour l'usage du système : les 16 premiers secteurs.*

ISO 9660 adapté pour MS-DOS

Avec la plupart des logiciels de gravure, vous pourrez choisir de substituer à une structure de fichiers de type ISO 9660 une structure de type MS-DOS. Vous bénéficierez dans ce cas des quelques possibilités supplémentaires du format MS-DOS, à savoir l'utilisation dans les noms de fichiers de caractères tels que &, +, $, et plus de 8 niveaux de répertoires.

Le Joliet de Windows 95, 98, NT, Millennium, 2000...

Une troisième possibilité de structure de fichiers est désormais reconnue par tous les systèmes d'exploitation, mais pas encore utilisée sur tous les CD-ROM : c'est la norme Joliet. Ce système de fichiers, qui est apparu avec Windows 95 — et qui est resté en vigueur sur toutes les versions successives du système, de Windows 98 à Windows Millennium, en passant par NT et 2000 — est beaucoup plus sophistiqué que l'ISO. Il autorise des noms de fichiers et de dossiers d'une longueur de 256 caractères (par exemple, *le texte que je vous envoie.doc* au lieu de *texte.doc*).

Une disquette Joliet formatée sur un PC équipé de Windows 95 reste lisible avec un PC équipé d'une ancienne version de MS-DOS, ou de Windows 3.x. Pour assurer la compatibilité avec les noms DOS standard, la structure de base des noms de fichiers reste la même grâce à une astuce : lorsqu'un nom de fichier dépasse 8 caractères, le symbole tilde (˜) est ajouté sur la sixième lettre, suivi d'un numéro, et le reste du texte est stocké dans une nouvelle zone définie par la norme. Ainsi, le nom de fichier Lettre à

envoyer.doc est décomposé en : Lettre~1.doc et à envoyer.doc, qui est stocké plus loin.

Pour rendre ce nouveau format de nom compatible avec les structures de fichiers des CD-ROM, Microsoft a mis au point une extension Joliet du standard ISO 9660. Avec cette extension, vos CD-R peuvent contenir des fichiers dont le nom atteint une longueur de 64 caractères. Ces CD d'un nouveau genre demeurent théoriquement compatibles avec les anciennes versions de MS-DOS.

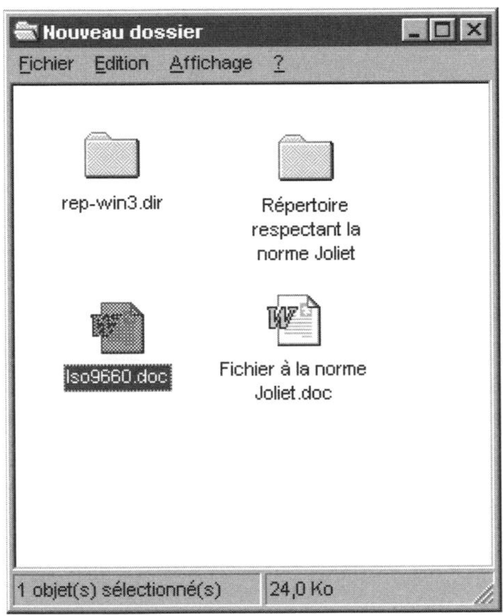

Figure 2.1 : A gauche, la norme ISO, à droite, la norme Joliet.

La norme Joliet devient peu à peu le standard universel du CD-ROM : les PC sous Windows 3.x ou DOS qui utilisent encore l'ISO deviennent très rares. Donc, en adoptant

aujourd'hui le Joliet, vous êtes assuré d'être compatible avec la majeure partie des PC.

Ce qui nous amenait hier à émettre des réserves sur le Joliet était la trop grande quantité de logiciels persistant, y compris sous Windows 95 ou 98, à utiliser la norme ISO. Cette disparité posait quelques problèmes lors de la création d'un CD-R puisque l'ISO tronquait systématiquement les noms de fichiers Joliet pour les réduire à 8 caractères. Comme on courait le risque de voir les noms de fichiers trop longs changer et les fichiers devenir inaccessibles, on préconisait de n'utiliser que des noms courts, sans exploiter les possibilités du Joliet.

Aujourd'hui, toutes les applications ou presque adoptent le système de fichiers Joliet. Vous pouvez donc l'exploiter sans hésitation pour graver vos CD. Mais attention, si vous utilisez de vieux outils de compression (PKZIP, LHARC ou LHA), vous risquez encore de récupérer des fichiers à noms tronqués...

Pour résumer, disons que le Joliet garantit la lecture à la fois des noms longs, de ceux qui sont tronqués, et de ceux qui répondent à la norme ISO ou DOS. En conséquence, nous adoptons le Joliet !

Pour créer un CD-ROM Joliet, votre logiciel de gravure doit simplement supporter la norme, ce qui est le cas de toutes les versions récentes.

Attention : certaines versions de Windows NT (3.51 – 1057) ne savent pas lire les CD-R à la norme Joliet. Aucun problème en revanche avec les versions NT 4.0, 5, 2000 et suivantes.

... Et son Romeo

Les créateurs de normes ont de l'humour : pas de Joliet sans son Romeo ! Ils ont donc mis au point un sous-ensemble de Joliet, universel, permettant d'écrire des noms de fichiers de 128 caractères, espaces inclus. Les fichiers Romeo peuvent être lus sous DOS et Windows 3.1 sous la forme traditionnelle (8 lettres, 1 point, 3 lettres d'extension), sous Windows 9x et NT 3.x sous leur forme complète, mais aussi, et c'est l'avantage de Romeo, sur Macintosh. Attention cependant : sur ces machines, les noms de fichiers Romeo sont lisibles... à condition qu'ils ne dépassent pas 31 caractères. L'inconvénient majeur de Romeo, c'est que, pour l'utiliser, il faut adopter un patch de mise à jour du système. Un conseil donc : oubliez Romeo, c'est une norme inutile. Tant pis pour Joliet...

La norme OSTA UDF : CD-RW et DVD

C'est la petite dernière, et elle est très importante : la norme OSTA UDF. Cette norme résulte de l'association des technologies de stockage optique pour un format de disque universel. Un groupe de constructeurs et d'éditeurs ont cherché à créer un format standard en vue de remplacer les lecteurs de disquettes par des graveurs CD-RW et des lecteurs de CD-ROM compatibles CD-E. La version actuelle de l'OSTA UDF est la 1.5 ; elle répond à la norme ISO 13346.

C'est aussi la norme OSTA UDF qui a été retenue pour organiser les fichiers sur tous les types de DVD : DVD-R, DVD-RAM, DVD-RW et DVD vidéo.

Les CD sous Macintosh HFS

Le format HFS (*Hierarchical File System*) est le système de fichiers natif du Macintosh. Vous pouvez l'utiliser pour

graver des CD, mais, dans ce cas, ces derniers ne seront compatibles qu'avec les ordinateurs d'Apple. L'avantage est que vous préservez le look du Bureau, avec les icônes personnalisées typiques du Macintosh.

L'image HFS est une réplique d'un volume de disque Macintosh. Il est donc possible de graver une réplique de disque dur directement sur un CD-R. Un PC ne permet pas de réaliser ce genre de copie "de disque à disque". L'évolution du système Macintosh a suivi d'autres voies que celles du PC. Ainsi, le dispositif HFS est le successeur d'un autre système de fichiers, utilisé à l'origine sur les disquettes de 400 Ko.

Le système HFS peut être exploité sur des disquettes Zip Iomega ou certains périphériques de masse : on peut alors manipuler les volumes de données exactement comme avec des CD-R ou des CD-ROM, et simuler leur fonctionnement de façon totalement transparente. En d'autres termes, sur Macintosh, rien ne distingue un CD-R d'un CD-ROM ou... d'un disque dur, à l'exception des possibilités de lecture/écriture.

Le système HFS est en quelque sorte un dispositif de gestion de fichiers "dynamique", à l'instar de celui de Windows, mais que l'on peut "geler" lorsque l'on grave sur un CD-R ; manipulation totalement impossible sur un CD-R de PC puisque Windows cherche continûment à lire et à écrire sur les disques durs.

Le HFS permet donc de copier un disque dur d'un Mac sur un CD-R sans passer par les étapes intermédiaires mises en œuvre sur un PC : pas besoin de format OSTA UDF, par exemple (le seul qui permet de transférer des données directement sur le disque *via* le Bureau de Windows). Ce qui nous donne des logiciels plus conviviaux, et des applications plus performantes. Dont acte : le Mac manque de logiciels de gravure, mais il est plus intelligent qu'un PC...

Windows peut-il lire un CD-ROM HFS ?

Si vous essayez de lire un CD-R ou un CD-ROM HFS sur un PC sous Windows 95/98, vous obtiendrez immanquablement le message d'erreur suivant :

```
X: n'est pas accessible
Un périphérique attaché au système ne fonctionne pas
correctement.
```

En d'autres termes, le format HFS n'est pas compatible avec le PC sous Windows, et encore moins sous Linux. Pour tenter de remédier à ce problème, Apple a mis au point une extension du format ISO 9660 (compatible PC) qui accepte de stocker un système de fichiers de type Mac. Cette "rustine" n'est malheureusement pas convaincante et pose encore quelques difficultés de compatibilité.

Actuellement, la seule solution pour avoir des CD-R universels, compatibles Mac et PC, n'est pas du côté des systèmes de fichiers, mais du multisession : les CD multisessions peuvent contenir une session HFS associée à une autre session de type ISO ou Joliet pour PC.

Autres normes

Citons également trois autres types d'organisation de CD qui nous concernent moins : Rock Ridge, qui est utilisé par les systèmes Unix pour stocker des noms de fichier longs ; CDR-RFS, qui offre un mode d'inscription par paquets ; CDR-UDF, qui est le mode d'inscription de données standard de l'industrie.

Les CD sous Linux

Les systèmes Linux actuellement commercialisés sont souvent munis d'un système de fichiers capable de lire les CD au format Joliet (très proche de CDR-RFS), à une nuance près : ils font la différence entre les caractères majuscules et minuscules. Résultat ? Un CD-R Joliet contenant des programmes qui ne tiennent pas compte de cette subtilité peut devenir non fonctionnel sur un PC sous Linux. Pensez-y, et essayez dès aujourd'hui d'adopter sous Windows un mode de travail où seules les minuscules sont utilisées.

En tout état de cause, l'universalité des CD-ROM sur PC et sur Linux est garantie avec le strict format de fichier ISO 9660. C'est le format minimal, généralement adopté par tous les logiciels de gravure sur ce système.

Si vous souhaitez plus d'informations sur les CD et la gravure sous Linux, je vous recommande *Le Magnum Gravure des CD & DVD* (voir Annexe), qui développe plus largement cet aspect du CD-R.

Les disques peuvent-ils vivre sans système de fichiers ?

Il est intéressant d'ajouter que le système de fichiers n'est pas une composante indispensable d'un CD (contrairement à un PC, qui a forcément besoin d'un système de fichiers pour accéder à ses données).

Ainsi, certains CD vidéo qui contiennent un système de fichiers pourraient parfaitement s'en passer : les séquences vidéo sont contenues sur des pistes individualisées, et les lecteurs de CD vidéo accèdent directement aux films en pointant sur le début de ces pistes.

Mieux, dans le cas d'un CD audio, il n'existe aucun système de fichiers : c'est la TOC qui sert de système de fichiers rudimentaire, et le système de fichiers ISO, présent sur ces disques pour les rendre lisibles sur PC, n'est pas indispensable.

Quelles normes et quels CD pour votre graveur ?

Bien que nous y revenions en détail dans l'Heure 7, il n'est pas inutile de commencer à clarifier le sujet dès maintenant. Voici un résumé des paramètres "passe-partout" :

- La seule vraie norme d'organisation lisible partout est l'**ISO 9660**. Si vous limitez votre utilisation des CD-R à la sphère des PC équipés de Windows NT, 95, 98, Millennium et Linux, le **Joliet**, plus convivial que l'ISO 9660, est désormais reconnu dans 99 % des cas.
- Les **pistes en mode 1**, avec correction d'erreurs, restent le standard de gravure des CD industriels, mais la fiabilité actuelle des supports et du processus d'inscription des CD-R nous permet aussi de graver sans trop de risques des **pistes en mode 2**.
- Le **mode monosession** est toujours la norme sur le marché.

Disons en conclusion que le standard aujourd'hui est moins rigide qu'hier. Votre logiciel de gravure, s'il a été fabriqué par l'une des trois vedettes de la gravure que sont Easy, WinOnCD et Nero, vous proposera automatiquement, *via* ses modèles et ses assistants, la meilleure combinaison type de piste, sessions et structure de fichiers. En conséquence, suivez-le dans ses choix !

Heure 3

Caractéristiques techniques des matériels de gravure

La technologie des graveurs, telle qu'elle est décrite dans la Partie II de l'*Orange Book*, est reprise scrupuleusement par tous les appareils du marché. On peut la résumer à une inscription de données par un principe photographique sur une substance photosensible. Le lecteur comprendra, bien sûr, que la précision du laser et la densité des informations gravées (près de 600 pistes par millimètre) n'est pas sans imposer une foule de contraintes. Et que ce sont ces mêmes contraintes — mal comprises — qui sont le plus souvent la source des erreurs de gravure. Il est donc utile de comprendre comment cela marche "dedans" ! Ne négligez pas cet aspect "culture technique" du fonctionnement interne de votre matériel. Elle sera précieuse pour résoudre les problèmes que vous serez amené à rencontrer. Commençons par le principe le plus élémentaire : celui de l'inscription des données.

FONCTIONNEMMENT D'UN GRAVEUR

Nous avons vu à l'Heure 2 que la couche à graver sur le CD-R est composée de cyanine ou de phthalocyanine. Sachez que ces deux composés ont pour caractéristique d'être photosensibles. Leur principe de fonctionnement est très proche de celui d'une pellicule photographique.

Le processus d'inscription des données est le suivant : lorsque le laser éclaire un point de la couche à graver, le point d'impact devient opaque sous l'effet d'une réaction chimique. Phénomène précis comme un laser et irréversible.

L'architecture d'un graveur est donc relativement simple. Elle est élaborée pratiquement sur le même principe qu'un lecteur de CD-ROM, c'est-à-dire une platine supportant un émetteur de rayon laser (utilisant néanmoins une longueur d'onde différente de celle d'un lecteur), le tout se déplaçant latéralement pendant que le disque tourne. Par ce procédé, chaque recoin du CD-R peut être balayé par le laser, et donc gravé.

Gravure, excès de langage ?

On parle de matériel de gravure et de gravure de CD-R. Si le processus est photographique, n'y a-t-il pas ici excès de langage ? Probablement : on pourrait parler d'impression ou encore de développement, termes issus du marché de la photographie et donc mieux adaptés.

Par commodité, nous utiliserons pourtant dans cet ouvrage le terme de gravure de CD unanimement adopté par les utilisateurs.

Sachez que cette architecture est précise au micron près : méticulosité indispensable pour être en mesure d'éclairer n'importe quel point du disque à intervalles réguliers. L'essentiel ici est de suivre le tracé exact de la piste physique du CD-R, dans un but évident de compatibilité avec tous les lecteurs de CD-ROM. D'où l'importance d'un flux constant de données pendant une opération de gravure.

La vitesse de gravure n'est pas modulable

Une fois le processus de gravure lancé, la vitesse est fixe et non modulable. Un graveur inscrit les données en mode 1× (150 Ko/s), 2× (300 Ko/s) et éventuellement 4× (600 Ko/s). Le rayon laser qui inscrit les données, une fois lancé, maintient son rythme pour assurer la précision au micron près de ce qu'il inscrit. Un laser dont le rythme d'inscription fluctuerait serait incapable d'inscrire avec précision les données les unes à la suite des autres et produirait des CD-R non lisibles.

Architecture similaire entre un lecteur et un graveur donc, mais différence de taille : l'électronique de réception des données. Alors que le CD-ROM ne fait qu'envoyer des informations vers le PC, le graveur, comme un disque dur, travaille dans les deux sens. Le graveur est donc relié au PC par une interface bidirectionnelle, capable d'établir un véritable dialogue avec l'ordinateur.

Il est aussi équipé de tout un dispositif de stockage afin d'être en permanence en possession de données en quantité suffisante : c'est essentiel pour maintenir le flux dont

il a besoin. Ce sont les buffers. Les graveurs modernes sont souvent équipés de buffers de 1 Mo de données. Il existe aussi certains modèles équipés de disque dur, leur assurant ainsi un contrôle total des données à graver. En résumé, un graveur est donc :

- un faisceau laser monté sur une mécanique ;
- des buffers ;
- une interface bidirectionnelle.

Le flux est essentiel

Le graveur est un matériel robuste et éprouvé. Sa seule contrainte est de recevoir le flux d'informations qu'il doit graver à un rythme suffisant. Presque toutes les erreurs des graveurs sont liées directement ou indirectement au flux. Le logiciel ? Sa configuration conditionne le flux. Le disque dur ? Aussi. Le graveur ? Egalement.

Pour toutes ces raisons, nous parlerons de cette notion de flux dans toutes les Heures qui vont suivre.

TECHNOLOGIES, AVANTAGES ET INCONVÉNIENTS

A la lumière de ces informations techniques, vous comprenez que les deux modules électroniques les plus importants du graveur sont les buffers et l'interface qui le relie au PC. D'une mauvaise gestion de ces deux composants proviendront 90 % des erreurs de gravure, qui résultent de :

- une interface mal configurée ;
- un jeu de pilote de mauvaise qualité ;
- un buffer mal utilisé ;

- un lien insuffisamment rapide entre l'ordinateur et le graveur ;
- une vitesse de gravure impossible à atteindre pour votre PC.

Quelle interface choisir ?

Commençons donc par examiner les deux possibilités d'interface d'un graveur : le SCSI et le EIDE. Chaque composant d'un PC est relié à un autre composant par un lien matériel. Un peu comme une route relie deux villes ou deux maisons. C'est d'ailleurs cette analogie qui a fait appeler "bus" l'interface qui reçoit toutes sortes de cartes d'extension d'un PC (carte vidéo, carte son).

Pour notre graveur, qui est une "mémoire de masse", à l'instar d'un disque dur ou d'un lecteur de CD-ROM, c'est l'interface de cette famille de périphériques qui sera donc utilisée.

Mémoire de masse

On désigne par le terme mémoire de masse tout dispositif de stockage de données, réinscriptible ou non. Le terme est plutôt réservé aux dispositifs magnétiques ou optiques, par opposition aux mémoires "électriques" que sont la RAM ou la ROM de nos PC. Un disque dur est une mémoire de masse, tout comme un lecteur de CD-ROM ou une sauvegarde à cartouche.

Les catégories d'interfaces pour mémoires de masse ne sont pas nombreuses, et plutôt bien standardisées. On en connaît de deux sortes : l'IDE (devenu en évoluant EIDE), qui équipe presque tous les PC du commerce, et sert aussi bien à relier les disques durs que les lecteurs de CD-ROM internes ; et le SCSI (devenu Fast SCSI ou SCSI 2). Cette

dernière famille d'interfaces est très performante (et donc onéreuse). Elle n'équipe en standard que quelques PC haut de gamme. Elle peut recevoir des disques internes, mais aussi, par un jeu de câbles (reliant les périphériques entre eux sous forme de chaîne), des périphériques externes. Presque tous les dispositifs d'archivage externes (sauvegardes à bande Seagate, enregistreur de disques Jaz) sont reliés à un PC par une carte SCSI.

Citons à titre anecdotique l'interface parallèle, utilisée pour vos imprimantes. Son jeu de composants électroniques lui permet d'émettre et de recevoir des données. Elle a donc souvent été utilisée pour relier des périphériques de stockage externe, voire des lecteurs de CD-ROM. Quelques fabricants commencent à proposer des graveurs sur bus USB : face à eux, nous vous conseillons vivement de prendre vos jambes à votre cou, comme jadis nous le recommandions pour les graveurs sur port parallèle — bref, de ne surtout pas les acheter. Les interfaces sophistiquées que sont le SCSI et l'EIDE nous poseront déjà assez de problèmes pour ne pas souhaiter en ajouter avec l'interface bien trop primaire qu'est le port parallèle, ou trop peu adaptée à la gravure qu'est l'interface USB !

USB : inadapté à la gravure !

Le bus USB est prévu pour des périphériques capables de faire des pauses : il fonctionne en "série", c'est-à-dire que tous les appareils branchés sur un bus USB se partagent une ligne unique. Résultat, pendant que le scanner parle au PC, le graveur n'a plus la parole ; oui, mais le graveur exige un flux constant ! En conséquence, la gravure est ratée ! Sachez-le si vous êtes équipé de graveur USB : seuls Windows 98 et versions postérieures gèrent correctement le bus USB, et votre graveur ne peut fonctionner correctement que s'il est seul sur la chaîne de périphériques. Dont acte !

Retour sur les problèmes d'hier

Il nous a semblé important de revenir ici sur un problème des années passées, devenu une légende tenace : avec les premiers graveurs, en effet, le mariage de l'IDE et du SCSI posait quelques problèmes. Problèmes essentiellement dus au fait que tous les graveurs sont pilotés avec des interfaces qui simulent des commandes SCSI (les fameux ASPI drivers), et que ces pilotes géraient très mal les périphériques IDE. Aujourd'hui, c'est fini ! Tous les graveurs, qu'ils soient EIDE (IDE) ou SCSI, sont correctement gérés pour peu que vous soyez muni des bons pilotes ASPI. Ces derniers ont en effet été constamment mis à jour au cours des derniers mois, et le mixage de disques durs SCSI avec des graveurs EIDE ou l'inverse ne pose plus de difficultés.

Le graveur SCSI

Revenons au SCSI, étroitement lié à l'histoire des CD-R. Les premiers graveurs étaient tous prévus pour être reliés sur interfaces SCSI : choix légitime, celles-ci offraient tous les avantages nécessaires à un graveur :

- Débit important et constant des données (au moins 1 Mo par seconde, alors que les cartes IDE en vigueur à l'époque étaient bien moins fiables).
- Interface "Plug and Play" : il suffit d'installer le périphérique dans la chaîne pour qu'il soit reconnu.

Autre avantage, les premiers lecteurs étaient volumineux, et donc externes. Seule une carte SCSI permettait de relier un périphérique extérieur dans de bonnes conditions.

Fiabilité, efficacité, rapidité, tous ces avantages ont un prix : celui de la carte à acheter pour utiliser ces matériels ! Car la majeure partie des PC sont équipés en standard d'une interface IDE (aujourd'hui EIDE), moins rapide et moins souple.

Le graveur EIDE

Certains fabricants ont donc cherché à concevoir des graveurs capables d'exploiter cette interface native et donc gratuite qu'est l'EIDE. C'est le cas de Traxdata, deHP, ou encore de Philips, dont les modèles EIDE s'installent dans le PC exactement comme un lecteur de CD-ROM ou de disquettes. On le relie à l'interface EIDE à l'aide d'une nappe reliée directement sur un emplacement disponible, ou encore en le connectant au second connecteur EIDE d'une nappe déjà existante. Attention, ce type de graveur, qui est aussi lecteur (et lui ressemble comme un frère), ne peut être considéré comme un lecteur de CD-ROM suffisant : il est bien trop lent (ses performances sur les modèles les plus récents sont de l'ordre de celles d'un lecteur 4×, d'un 16× pour les meilleurs) même s'il est censé atteindre la vitesse d'un 36×, voire plus — comme on le lit parfois — en lecture. Cette lenteur est due à la lourdeur des têtes de lecture qui diminuent le temps d'accès piste par piste.

En tant que graveur, comme outil de copie (pour extraire l'image d'un disque) ou de reproduction de CD audio (*via* la fonction d'extraction sur laquelle nous reviendrons et qui est présente sur tous les graveurs EIDE actuels), ses performances sont en revanche excellentes.

Mais les avantages des graveurs EIDE ne résident pas uniquement dans leurs performances : leur point fort, c'est qu'ils utilisent l'interface existante, et qu'ils sont très

Figure 3.1 : Présentés comme des lecteurs de CD, les graveurs EIDE s'installent dans un emplacement pour extension du PC.

compacts puisque installés directement dans le PC. Ils sont, en général, contrôlés par un pilote de type Atapi, relativement simple à installer. Nous reviendrons sur les pilotes dans la prochaine Heure.

La vitesse pour graver

Et la vitesse ? Un graveur, ça grave vite ? Disons que la rapidité des graveurs est décrite selon les mêmes principes que celle des lecteurs de CD-ROM (lire plus haut). Comme pour les lecteurs, ces vitesses sont des multiples de la vitesse d'origine du *Red Book* : le 1×, soit 150 Ko/s. C'est cette vitesse unique qui fut adoptée par les premiers graveurs. Mais le mode 1× demande 72 minutes pour graver un CD de 650 Mo : c'est un peu lent. Alors sont arrivés des graveurs 2×, qui s'acquittent de cette même tâche en 36 minutes.

Ces deux vitesses, 1× et 2×, sont les seules définies par l'*Orange Book,* Partie II. Les vitesses de gravures supérieures ne sont pas prévues par le standard CD-R. Ce qui n'a pas empêché certains fabricants de passer à la vitesse supérieure !

Ainsi, les graveurs Yamaha moyen de gamme sont capables de créer des CD-R en mode 6× ou 8×, ce qui permettra de graver un CD de 650 Mo en 9 minutes ! Nous ne doutons pas que certains seront séduits par le gain de temps que peut procurer une fabrication de CD-R aussi rapide.

Les vitesses standard évolueront considérablement dans les mois qui viennent, mais il faudra faire très attention aux risques liés à la configuration. Les graveurs 10× sont déjà sur le marché.

Nous sommes en effet obligé de revenir ici sur le problème du flux : si presque tous les PC, à partir des premiers Pentium, sont capables de graver un CD en mode 1×, il n'en va pas de même pour le 2× et encore moins pour le 4×. Imaginez que si 150 Ko/s suffisent pour graver un CD 1×, c'est 600 Ko qu'il faut en mode 4×. Avec un débit de 599,9 Ko, la gravure échoue ! Or, même si de nombreux PC sont capables d'atteindre et même de dépasser ce débit en vitesse de pointe, rares sont les PC dont le processeur est cadencé à moins de 300 MHz qui parviennent à le maintenir pendant 18 minutes d'affilée.

Disons que, pour le moment, et jusqu'au Celeron 300, il est préférable de se limiter à la gravure en mode 4× pour diminuer au maximum les risques de CD-R mal gravés. Pour les stations récentes (Pentium II à 500 MHz et supérieurs, K6-3D), homogènes (équipés de disques durs rapides) et correctement configurées, il est tout à fait possible de graver à haute vitesse. Nous savons donc que :

- Les normes édictées par l'*Orange Book* se limitent à une vitesse de gravure 2×.
- Les vitesses de gravure supérieures à 4× ne sont donc pas standard, mais imposées par le marché.

- Les temps nécessaires pour graver un CD dépendent bien sûr de la vitesse et sont détaillés ci-après :
  - un CD de 650 Mo est gravé en 72 minutes en mode 1× ;
  - un CD de 650 Mo est gravé en 36 minutes en mode 2× ;
  - un CD de 650 Mo est gravé en 18 minutes en mode 4× ;
  - un CD de 650 Mo est gravé en 9 minutes en mode 8×.

Ces vitesses sont invariables, mais attention : certaines opérations annexes peuvent augmenter considérablement le temps mis pour graver un CD-R. L'écriture de la "table de contenu", par exemple, peut prendre plusieurs minutes. N'oubliez pas non plus de prendre en compte le temps pris par le logiciel pour construire le fichier qu'il va graver. Nous y reviendrons.

Lecteur interne ou externe ?

Il reste quelques détails à examiner en ce qui concerne les graveurs. Une question, par exemple, que ne manqueront pas de se poser quelques utilisateurs, concerne la différence entre un lecteur interne et un lecteur externe. Réponse simple : *a priori* aucune. Il existe en revanche quelques constantes :

- Les graveurs EIDE sont tous internes.
- Ceux qui fonctionnent sur cartes SCSI sont le plus souvent externes, parfois internes.
- Seule l'interface EIDE, fortement recommandable vu les gains de prix qu'elle procure, oblige à prendre un

lecteur interne. Le reste est fonction de vos préférences, ou de la place sur le bureau, par exemple.

Peut-on considérer un graveur comme un lecteur ?

Autre point important : l'utilisation du graveur en tant que lecteur. Presque tous peuvent être employés pour lire des CD-ROM, on sera donc *a priori* tenté de tout concentrer dans un seul appareil. Sachez pourtant que cette possibilité n'est pas sans défauts : l'électronique de gravure et la mécanique d'un graveur sont bien plus lourdes que celles des lecteurs. Il en résulte une baisse très sensible des performances, et souvent une vitesse réelle limitée à 4× (parfois un peu plus), même si l'emballage indique des performances supérieures. Conclusion en forme d'axiome :

Associez toujours le graveur à un lecteur de CD-ROM ou, mieux, de DVD-ROM. Pour moins de 1 000 F, vous pouvez désormais vous procurer un lecteur 40× qui vous donnera toute satisfaction, et, nous le verrons dans la rubrique sur les logiciels, permettra de disposer de fonctionnalités supplémentaires. Le DVD-ROM est à choyer tout particulièrement avec sa vitesse fulgurante d'extraction de données contenues sur des CD audio.

Quelques matériels

Pensez aussi que les matériels ne se valent pas tous, loin s'en faut. Un disque *x* pourra être gravé sur un graveur *y*, mais pas sur un autre de marque *z* ! C'est le cas, par exemple, des disques de karaoké CD+G qui ne sont reproductibles que sur un nombre limité de lecteurs. D'autres rencontrent des problèmes de "firmware", le logiciel de base du graveur, qui rend certaines fonctions des logiciels de gravure incompatibles. Il est impossible de tester dans un tel ouvrage tous les graveurs du marché. Voici néanmoins quelques appareils recommandés pour leurs qualités. Certains, vous le verrez, ont des défauts : il suffit de le savoir. L'absence d'extraction audio sur le graveur, par exemple, peut être compensée par un bon lecteur de CD-ROM qui s'en chargera. Voici à l'heure actuelle les graveurs les plus riches en possibilités de gravure et d'évolution. Nous les avons retenus pour leur capacité à gérer des copies particulières (overburning avec Nero par exemple) :

- Traxdata CDRW2260 PRO SCSI
- Traxdata CDRW4260 PRO SCSI
- Traxdata CDRW4120 SCSI
- Pinnacle RCD 4X4 SCSI
- Pinnacle RCD 4X12 SCSI
- Philips PCA460RW IDE
- Philips PCA450RW SCSI
- Goldstar CD-RW CED 8041B
- Actima ARW 4420 IDE
- Actima ARW 4420 S SCSI
- Dynatek CD-RW 426 SCSI
- Dysan CRW426 IDE
- Dysan CRW1426 IDE
- JVC, tous modèles sauf XR W2010 et XR R2060

Certains graveurs sont également capables de reproduire 100 % des subcode channels, ce qui leur permet, associés à un logiciel de copie performant, de reproduire à peu près n'importe quel type de disque.

En voici la liste :

- Plextor PX-W8220, PX-W8432, PX-W124TS, PX-W1210A
- HP CD-Writer 8200i, 8210i, 9100i, 9110i, 9200i, 9210i, 9300i, 9310i
- Sony CR-X120E, CR-X140E/S, CR-X145E/S
- TDK VeloCD 8432
- RICOH 7080A, 9060A
- WAITEC CD-R WT2082, WT3284
- Mitsumi 4804TE

A titre d'information, il me semble utile d'ajouter ici quelques fiches techniques des lecteurs précités, que j'ai testées pour différentes publications.

Que choisir ?

La liste des matériels, c'est bien ; savoir choisir en fonction de ses besoins, c'est encore mieux ! Voici donc quelques conseils pratiques à suivre :

Selon votre équipement

Commençons par les interfaces. Si votre PC est récent (supérieur à 300 MHz avec des Celeron, des AMD, et des Pentium II au moins) et est équipé d'une interface EIDE :

- Si vous souhaitez vous équiper à moindre prix, achetez un graveur EIDE.
- Si vous souhaitez les meilleures performances possibles, équipez-vous d'un graveur réputé, avec carte SCSI (Yamaha par exemple, ou les très bons Plextor).

Si votre PC est équipé d'une interface SCSI :

Equipez-vous d'un graveur SCSI, livré sans carte d'interface.

Par ailleurs, vous devez prendre les performances de votre machine en compte. Ainsi, si votre PC est supérieur aux AMD K6 à 200 MHz ou aux anciens Pentium MMX (c'est le cas de toutes les machines vendues depuis moins de deux ans).

Choisissez un CD-R 4× et supérieur, mais vous devrez probablement limiter la vitesse de gravure au mode 2×.

Si votre PC est ancien et inférieur au Pentium 166 :

Ajoutez de la mémoire pour augmenter globalement la vitesse du système et adoptez un graveur de CD-R performant, que vous utiliserez en mode 2×.

Selon la quantité de CD à produire

Une autre question que nombre d'utilisateurs pourraient se poser est celle des besoins en fonction de la quantité produite. Le choix dépend ici du comportement de l'utilisateur. Quelques exemples :

- Le CD-R est utilisé une ou deux fois par semaine pour réaliser des copies de disques durs, des archives, des prototypes de CD multimédias.
- Le CD-R est utilisé au moins une fois par jour pour les mêmes applications, car les utilisateurs sont plus nombreux.
- Le CD-R est utilisé jusqu'à dix fois par jour, par exemple pour de la prestation de services.
- Le CD-R est utilisé à intervalles espacés, mais pour graver des séries importantes de CD, par exemple de la documentation technique.

Ainsi, les profils d'utilisation sont innombrables. Et il est difficile de préconiser une configuration particulière pour

chacun des cas. Ici, on entre dans le monde de la planification de fabrication. Quelques recettes tout de même :

- En ce qui concerne les séries importantes, vous devez évaluer l'avantage économique du CD-R. Sachez, par exemple, qu'à partir de 1 000 CD, certains dupliqueurs proposent des coûts très avantageux. Ils comprennent le master, la série, avec sérigraphie, pour parfois moins de 5 000 F. A comparer avec le coût du matériel, des CD-R, de l'opérateur... Sans oublier que 1 000 CD copiés industriellement sont moins chers, dans ce cas, que 500 CD-R !
- Pour ce qui est des petites séries consécutives (de 100 à 200 CD), vous devez évaluer avec précision le temps dont vous disposez, et choisir un matériel adapté. Avec un graveur 4×, par exemple, vous êtes théoriquement en mesure de produire un CD-R toutes les 18 minutes. A l'épreuve des faits, en incluant la manutention, les opérations du logiciel, et quelques ratés, vous ne dépasserez probablement pas de beaucoup les 2 CD par heure, soit une quinzaine par journée de travail. Il faut donc une batterie de graveurs, ou étaler l'opération sur plusieurs jours.
- Quant à la prestation de services, ou la gravure pour raisons internes, évaluez les besoins de vos clients ou de vos services pour choisir entre les graveurs 1×, 2×, 4×. Certains clients sont prêts à payer plus cher un CD gravé en moins de 30 minutes, pensez-y...
- Pensez aussi que le graveur, dans les situations de copie ou de mastering, doit être disponible pour ceux qui en ont besoin. Ce qui sous-entend qu'il est installé sur une machine qui lui est réservée, plutôt que sur celle d'un collaborateur qui n'acceptera pas forcément d'être dérangé à intervalles réguliers !

- Si vous êtes un utilisateur dit "loisir", le temps vous est moins compté. Déterminez-vous en fonction de vos moyens ! Pensez tout de même à choisir un appareil supportant toutes les fonctions des logiciels : l'utilisateur loisir, plus que n'importe quel autre, est un véritable touche-à-tout !

N'oubliez pas que tous les CD-R ne sont pas forcément gravés en totalité. Et que pour graver 10 Mo de données sur un simple CD-R 2×, il suffit de quelques minutes. Ce qui rend possible la fabrication de séries consécutives plus importantes. En conclusion :

- Le CD-R est toujours adapté à la gravure en exemplaire unique.
- Le CD-R est parfois adapté à la création de séries consécutives lorsqu'elles sont inférieures à 300 exemplaires. Il faut alors évaluer correctement la vitesse de fabrication et définir une bonne organisation du travail.

Les dispositifs de gravure particuliers

Pour les moyennes séries, de 100 à 500 exemplaires, on voit apparaître sur le marché des dispositifs dits "Jukebox", qui consistent en plusieurs CD-R empilés, gravant simultanément. Ce sont des dispositifs coûteux (plusieurs dizaines de milliers de francs), mais qui peuvent être très utiles.

Heure 4

Installation du graveur

Le graveur est acheté ? L'objet, dans son carton, trône désormais sur votre bureau ! Et vous brûlez d'impatience à l'idée de dupliquer quelques centaines de CD. Bien, mais avant de jouir du matériel, il faut toujours en passer par les préliminaires. C'est comme ça. Alors, on installe ?

Si vous peinez, faites-le installer !
Réfractaire du cavalier ? Dégoûté du tournevis ? Ne perdez pas de temps et ne gaspillez pas d'énergie à installer votre graveur : demandez au vendeur de s'en charger (pour quelques centaines de francs quand même). Il s'occupe de tout, et vous passez directement à l'Heure 6, prêt pour graver, copier, dupliquer !

Installer un graveur EIDE

Le lecteur EIDE est forcément interne. Vous devrez donc, dans un premier temps, ouvrir votre ordinateur et chercher

un emplacement pour extension libre : l'un de ces "casiers métalliques" destinés à recevoir les mémoires de masse au format 5,25 pouces. Ils sont situés sur le haut de la face avant pour les boîtiers dits de "tour" ou de "mini tour", et sur le côté gauche ou droit de la face avant pour les boîtiers dits de bureau. Sélectionnez un emplacement, extrayez le cache en plastique, puis insérez le lecteur. Vissez-le.

La mise en place d'un graveur EIDE ne devrait pas poser trop de problème si vous avez déjà installé un lecteur de CD-ROM EIDE ou un disque dur EIDE dans votre machine. En quelques mots, il faut franchir trois étapes : choisir la nappe de connexion, le connecteur sur cette nappe puis positionner les cavaliers du graveur en mode "maître" ou "esclave".

Maître et esclave : principe

Les connecteurs EIDE de nos PC récents sont en général au nombre de deux. A chaque connecteur, peuvent être affectés deux périphériques. Le premier périphérique étant en mode "maître", le second en mode "esclave". Attention, certains disques durs peuvent être configurés en mode "maître seulement", "maître acceptant un esclave" ou "esclave seulement". Si vous associez à ceux-là le graveur en mode "esclave", vous devez vérifier leur configuration, et adapter leurs cavaliers pour qu'ils deviennent "maître acceptant un esclave".

Commençons donc par évaluer nos possibilités d'installation afin de déterminer la configuration des cavaliers du graveur. Le PC est ouvert ? Observons ! Plusieurs solutions sont possibles :

- Le PC est équipé d'un disque dur et d'un lecteur de CD-ROM en mode "esclave" ou "maître" sur la seconde nappe. Le graveur utilisera cette seconde nappe de câble pour être relié en mode "maître" au lecteur de CD EIDE du PC.

- Le PC est équipé de deux disques durs sur la première interface, et d'un lecteur de CD-ROM sur la seconde. Le graveur sera maître du lecteur de CD-ROM et installé sur le connecteur de la nappe restée libre.

PC trop vieux !

Si vous cherchez à installer un graveur EIDE sur un PC trop ancien (certains 486 DX4/100, voire les premiers modèles de Pentium), il est possible que l'interface EIDE qu'ils contiennent n'accepte que deux périphériques. Si pour votre malheur le PC en question est déjà équipé d'un disque dur et d'un lecteur de CD-ROM, il ne vous reste plus de place pour le graveur. Dans ce cas particulier, vous devrez privilégier la solution graveur SCSI, et installer une carte SCSI additionnelle dans votre PC : une vieille 1542C d'Adaptec sur bus ISA par exemple.

Voici, pour vous aider, quelques exemples de configuration des switches d'un graveur EIDE Mitsumi CR-2600 TE. Vous exploiterez ces tableaux[1] en fonction de la configuration qui correspond à votre PC. Une fois la configuration déterminée, vous configurerez le switch du graveur correspondant. Il est libellé directement mode "master" ou mode "slave", et situé en face arrière de l'appareil.

1. Ces tableaux s'appliquent à tous les graveurs EIDE du marché. Consultez la documentation de votre graveur EIDE pour connaître l'emplacement des switches.

Figure 4.1 : Le graveur Mitsumi.

Le graveur Mitsumi

Les graveurs EIDE de Mitsumi ressemblent beaucoup à des lecteurs de CD. Ils en ont l'apparence et s'installent dans un emplacement pour mémoires de masse. Ils utilisent aussi le mode "maître esclave", comme eux.

Tableau 4.1 : Disque dur et CD-ROM déjà installés sur deux nappes EIDE

Connexion EIDE	Maître	Esclave
Primaire	DD	
Secondaire	CD-ROM	Graveur

Tableau 4.2 : Deux disques durs et un CD-ROM déjà installés sur deux nappes EIDE

Connexion EIDE	Maître	Esclave
Primaire	DD	DD[a]
Secondaire	Graveur	CD-ROM

a. Vérifiez que le disque dur n'est pas configuré en mode "maître seul".

Tout est installé ? Configuré ? Il vous reste à relier le connecteur de la nappe au connecteur du CD-R (en utilisant le détrompeur pour ne pas vous tromper de sens), puis à relier au graveur l'un des câbles d'alimentation disponibles (le plus souvent quatre fils de couleur noir, rouge et jaune). C'est tout. Passez directement à l'étape "Les périphériques annexes" pour affiner votre configuration.

Installer un graveur SCSI

Interface existante ou non

Si votre PC est déjà équipé d'une carte SCSI correctement configurée, les opérations ci-après (fastidieuses et désagréables) vous sont épargnées. Passez directement à l'étape suivante ! Si, en revanche, votre graveur a été livré avec une interface, vous devez l'installer et la configurer.

Première étape, qui relève d'ailleurs plus de l'installation classique de périphériques que de celle d'un graveur : prévoir les conflits. Votre carte doit utiliser une adresse IRQ, DMA, une zone mémoire, et des ports d'entrées et de sorties. La configuration de base est normalement de 130 pour les entrées et sorties, la zone mémoire D000, l'IRQ est 9, et le DMA, 7.

Si votre PC est récent (moins de deux ans) et fonctionne sous Windows 98 ou Millennium, avec une carte mère "compatible Plug and Play", vous n'aurez pas besoin de ces informations, et tout devrait être automatique. Sinon, notez bien ces paramètres qui seront probablement demandés lors de la configuration logicielle. En résumé :

- Si votre carte est Plug and Play (type ULTRA 160 ou X9160 d'Adaptec), vous n'avez pas de switch à modifier. Installez pour l'instant la carte dans un slot libre, c'est tout !
- Si votre carte est munie de switch, reportez-vous à la documentation pour les configurer selon la configuration que nous venons de donner.

Ces conseils sont donnés par Olivier Pavie dans ses ouvrages. Si vous rencontrez des problèmes de configuration avec votre carte SCSI, reportez-vous à ce que cet auteur a écrit sur le sujet chez le même éditeur : Comment Faire Assemblez votre PC, Chapitre 24, "Votre périphérique ou votre carte SCSI ne fonctionnent pas correctement", et surtout Comment faire Dépanner & revitaliser un PC, Chapitre 10, qui décrit les disques durs, mais s'applique très bien aux CD-R. Dans ce même livre, consultez aussi le Chapitre 15, "Installer une carte SCSI et y raccorder un périphérique".

Interne ou externe

La carte installée, il reste à mettre en place le graveur. Deux possibilités : il est externe ou interne. Dans les deux cas, les périphériques SCSI doivent recevoir un numéro d'ID. Sur les périphériques externes, c'est une roue codeuse qui permet de spécifier un numéro. Sur les périphériques internes, c'est un jeu de cavaliers. Le numéro 5 a peu de chance d'être déjà réservé. N'utilisez jamais le 0 et le 1 (souvent utilisés par les disques durs), ou le 7 (attribué à la carte). Si vous venez d'installer la carte, pas de problème, le numéro 4 est forcément libre. Si une carte existait déjà dans le PC, vérifiez que les périphériques SCSI sont déjà installés (scanner, CD-ROM, disques durs, sauvegardes n'exploitent pas ces numéros). Au besoin, choisissez-en un autre, libre.

- Si le lecteur est interne, reliez-le à l'un des connecteurs libres sur la nappe SCSI. Si aucun connecteur n'est disponible, achetez une nappe SCSI complémentaire. C'est tout !
- Si le lecteur est externe, vérifiez que les câbles sont de type SCSI 2 (petit connecteur à peu près de la taille de l'interface parallèle), ou SCSI (gros connecteurs). Reliez l'une des deux prises du graveur à la sortie externe de la carte SCSI, puis insérez un bouchon sur la seconde prise disponible.

C'est tout pour l'instant. Avec un peu de chance, tout sera automatique, et vous n'aurez aucun logiciel à configurer. Nous verrons cela dans la prochaine Heure !

Les périphériques annexes

Vous aurez probablement besoin d'autres périphériques pour graver vos CD-ROM. Une carte son, si vous souhaitez transformer des séquences musicales en séquences audio, et un lecteur pour réaliser des copies "piste à piste" ou extraire des sons.

La carte son

Elle doit être standard, et si vous souhaitez l'utiliser pour graver des pistes audio, par exemple récupérées depuis un

disque vinyle, assurez-vous que cette dernière est de très bonne qualité. Elle doit en effet être en mesure d'acquérir, manipuler, et produire des fichiers sonores 44 kHz, 16 bits, stéréo. Seuls ces derniers seront de qualité satisfaisante pour exploiter les capacités de vos futurs CD-R.

Le lecteur de CD-ROM

Le lecteur de CD-ROM sert dans deux cas :

- **La copie de CD à CD-R.** Vous insérez un disque dans le lecteur pour qu'il soit copié en temps réel par le graveur.
- **L'extraction de données audio.** Vous extrayez directement les séquences sonores au format des CD audio (celles du *Red Book*), et non pas au format Wav des PC, et vous les gravez ensuite sur un CD pour relecture sur votre lecteur de salon.

Pour ces deux activités, assurez-vous que la vitesse de votre lecteur de CD est suffisante. Inutile d'espérer copier de disque à disque sur un graveur 4×, si votre lecteur est un 40× de mauvaise facture... qui en réalité dépasse rarement le 16×, et s'effondre parfois sous le coup de bouffées de chaleur, sous les 0,5× (ça arrive !). Le flux doit être suffisant. Ce qui veut dire que vos anciens lecteurs de CD-ROM ne sont utilisables que si vous appliquez les règles suivantes :

- graveur en mode 1×, lecteur de CD-ROM 4× acceptable, 8× est idéal ;
- graveur en mode 2×, lecteur de CD-ROM 8× au moins, 16× est idéal ;
- graveur en mode 4×, lecteur de CD-ROM 8× au moins, plus c'est encore mieux ;

- graveur en mode 8×, lecteur de CD-ROM 40×, ou 16× hautes performances.

Sachez par ailleurs que, pour extraire des pistes d'un disque audio, et les regraver telles quelles, votre lecteur doit être muni de la fonction "Extraction Digital Audio". Ce n'est pas le cas de tous les lecteurs commercialisés jusqu'en fin d'année 1998, alors que tous les lecteurs récents en sont équipés.

Règle simple pour graver en disque à disque : achetez si possible un bon lecteur de CD-ROM 40× (moins de 1 000 F), ou mieux, un très bon DVD-ROM (Pioneer sera mon choix, mais il en existe d'autres aussi bons, comptez de 1 200 à 1 500 F).

La carte d'acquisition vidéo

Vous souhaiterez peut-être créer des CD vidéo, compatibles avec les spécifications du *White Book* et donc lisibles sur des lecteurs CD vidéo de Philips. Nous nous attarderons peu sur cette technique qui nécessiterait un large développement. Sachez toutefois qu'il est techniquement possible de transformer un disque vidéo, ou encore une cassette de votre Caméscope ou de votre magnétoscope, en Video-CD. L'opération est possible si vous êtes muni d'une carte vidéo capable de transférer 2 Mo/s de données vidéo, en résolution complète format PAL, avec un niveau de compression faible. Autant dire que vous aurez besoin d'un K6-2 à 300 MHz, au moins, équipé d'une carte Miro DC 20, minimum, DC 30 étant préférable.

Heure 5

Configuration, Internet et pilotes

Votre matériel est correctement installé ? Il est temps de le configurer ! C'est une opération indispensable, avant même d'installer les logiciels de gravure. En effet, ces derniers accèdent aux graveurs à travers une interface logicielle normalisée : le pilote. Si cette interface est absente, le logiciel est incapable de reconnaître le graveur et de l'utiliser.

Par bonheur, il est de plus en plus fréquent (à partir de Windows 98), que les matériels soient détectés, et les pilotes automatiquement installés. C'était déjà le cas avec Windows 95, mais avec un peu moins d'efficacité. Avec ce système, la procédure est simple :

1. Eteignez la machine.
2. Connectez le graveur à l'unité centrale et mettez-le sous tension.
3. Allumez la machine.

4. Windows 98 ou Millennium détecte le nouveau matériel et installe son pilote.

Avec Windows 3.1, c'est beaucoup plus compliqué. Vous devez installer manuellement les pilotes. Avec MS-DOS, c'est la galère, et c'est franchement dépassé. Cet ouvrage partira donc du postulat que votre PC est équipé de Windows 95 au pire, de Windows 98 ou Millennium (Me) au mieux, pour l'installation du graveur.

Votre PC est probablement Plug and Play. Pour vous en assurer, choisissez l'option Système du Panneau de configuration, et assurez-vous que le pilote Plug and Play est bien installé. En double-cliquant sur l'icône, vous afficherez la fenêtre de la Figure 5.1. Si tout est fonctionnel, votre carte sera automatiquement détectée au démarrage, et une fenêtre de "détection" sera affichée.

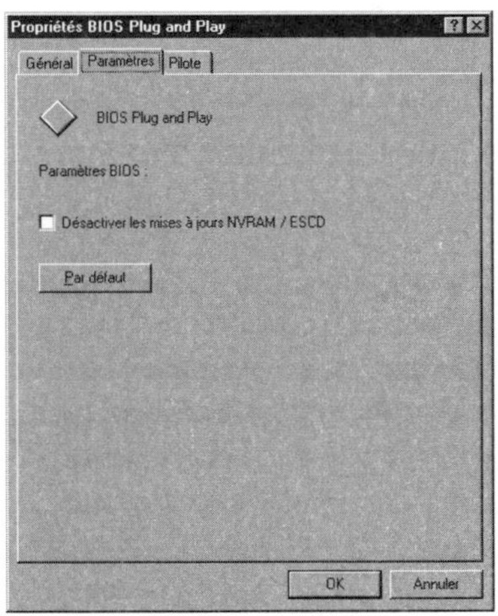

Figure 5.1 : Le Plug and Play de Windows 95/98.

Les pilotes du graveur

Les pilotes pour les graveurs SCSI

Logiquement, si la carte SCSI était déjà installée dans le système, il est probable que votre graveur sera reconnu dès qu'il aura été relié à la chaîne. Si tel n'est pas le cas, vous avez un problème de configuration et vous devrez revoir certains de vos paramètres.

Si vous devez installer une carte SCSI en même temps, la procédure de reconnaissance automatique par Windows 95 ou 98/Me devrait s'appliquer, surtout si la carte est de type PCI. Un pilote sera alors installé et l'ensemble prêt à fonctionner.

Vous trouverez d'excellentes informations sur les problèmes d'installation de cartes SCSI aux adresses suivantes :

http://www.adaptec.com/support/faqs/win95.html

http://www.adaptec.com/support/manuals/installation.html

Adaptec est le fabricant principal de cartes SCSI pour PC. Vous trouverez probablement tous les pilotes dont vous avez besoin sur son site Internet.

Quelques astuces de configuration SCSI

Sur la plupart des cartes SCSI de la société Adaptec, mais aussi sur celles d'autres marques, faites en sorte que la configuration corresponde aux points suivants :

- Désactivez l'option "Synchronous negotiation".
- Positionnez la vitesse de transfert aussi bas que possible (de 1 à 5 Mo/s). Sur les cartes 154× Adaptec, désactivez l'option Fast SCSI.

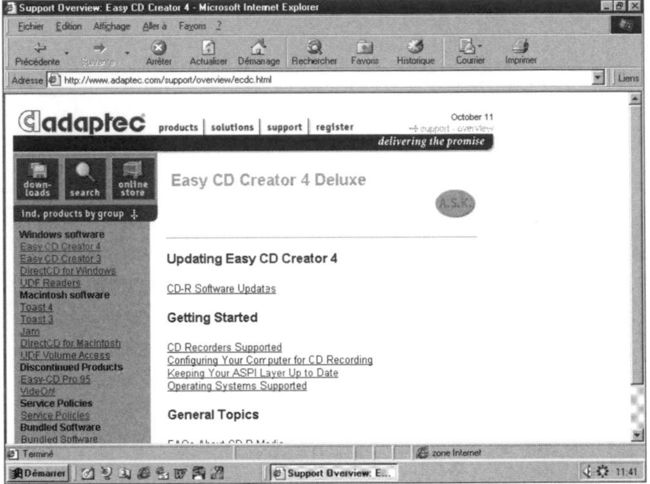

Figure 5.2 : Adaptec sur Internet.

- Validez l'option "Enable disconnexion".
- Il peut être parfois indispensable de laisser l'enregistreur SCSI seul sur une carte.
- Avec Windows 95, désactivez l'option support du BIOS, et support de l'interruption 13.
- Avec Windows 98/Me, tout doit être automatique (théoriquement !).

Avec Windows 95 et 98/Me, les produits SCSI sont automatiquement supportés. C'est le pilote du système qui se charge de tout : vous n'avez donc pas besoin du BIOS de votre carte, qui doit être désactivé.

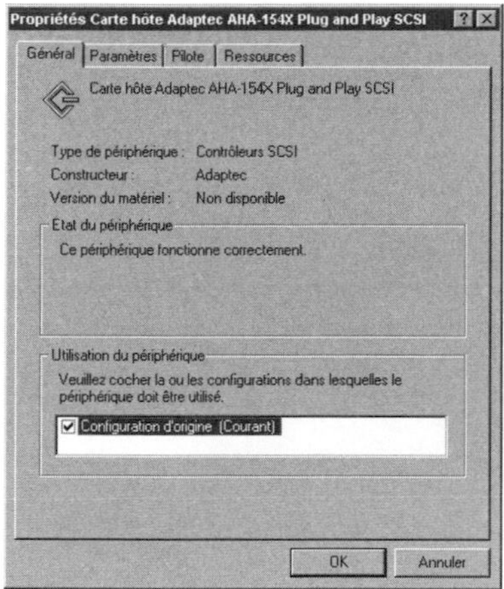

Figure 5.3 : Windows 95 et les cartes Adaptec.

Les pilotes pour les graveurs EIDE

Le graveur EIDE, lorsqu'il est installé, est automatiquement reconnu par le matériel, mais demande un pilote pour être reconnu par le système d'exploitation. Il est quasi certain que ce pilote sera installé automatiquement par Windows 95 et Windows 98/Me, dès le démarrage de la machine. Dans le cas contraire, utilisez la procédure d'installation sur disquette et exécutez le logiciel "Setup.exe", qui se chargera de l'opération.

La procédure consiste en l'ajout à votre fichier "Config.sys", d'une ligne de pilote ATAPI qui supportera le graveur. Vous pourrez avoir à modifier ce pilote, si de nouvelles versions apparaissent sur le marché. Le pilote des graveurs EIDE est installé dans le fichier Config.sys, exactement comme pour un lecteur de CD-ROM.

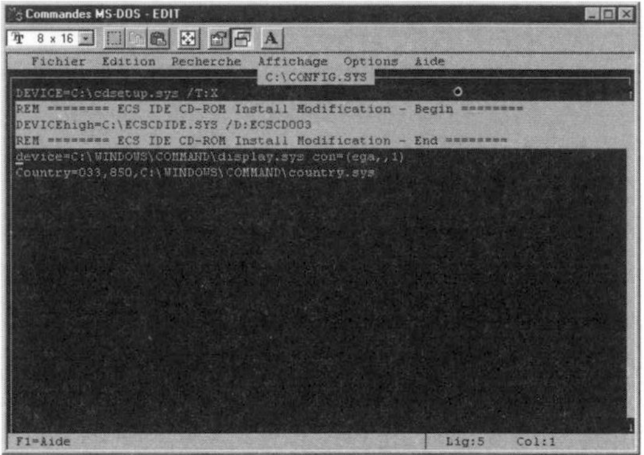

Figure 5.4 : Config.sys et les pilotes.

Utiliser Internet

Dans tous les cas, qu'il s'agisse d'une carte SCSI ou EIDE, il est primordial pour éviter les erreurs et les dysfonctionnements que les pilotes soient parfaitement mis à jour. Vérifiez le numéro de version du pilote dans le Panneau de configuration de Windows, option Système, et assurez-vous qu'il n'existe pas de pilotes plus récents sur les sites Internet des fabricants.

Si vous utilisez une carte Adaptec SCSI, vérifiez bien que cette dernière est équipée des derniers pilotes mis à jour. Ils sont disponibles aux adresses suivantes :

ftp://ftp.adaptec.com/software_pc/aspi/aspi32.exe

Pour les pilotes ASPI (SCSI) ou ATAPI (EIDE) standard de Windows 95, consultez la section sur les pilotes du site de l'éditeur :

http://www.microsoft.com

Utilisez aussi les sites des fabricants de PC, et ceux des constructeurs de vos graveurs. Voici quelques-unes de ces adresses :

http://www.plasmon.com

http://www.hp.com

http://www.mitsumi.com

http://www.yamahayst.com

http://www.sony.com

La problématique Windows 98

Le problème principal de Windows 98 avec les graveurs et les logiciels de gravure est qu'il remplace les anciens pilotes par les siens. Et les pilotes ASPI et SCSI n'y échappent malheureusement pas !

La mise aux normes des logiciels pour Windows 98 et son ensemble de pilotes génériques est quasiment terminée. Même Ahead propose désormais pour son Nero son propre jeu de pilotes ASPI (sur **http://www.ahead.de**). Mais alors, pourquoi ne pas utiliser les pilotes d'Adaptec, puisqu'ils sont les meilleurs ? C'est un problème de droit : pour utiliser les pilotes d'Adaptec, il faut du matériel Adaptec. C'est dommage, car ce sont les meilleurs.

Bref, en règle générale, et pour être certain que votre logiciel et votre graveur se marieront parfaitement sous Windows 98, la meilleure solution est de se rendre sur le site de l'éditeur et de télécharger les jeux de pilotes suggérés.

En ce qui concerne Windows Millennium, successeur de Windows 98, vous ne devriez rencontrer aucun problème, ce système intégrant désormais parfaitement toutes les couches de gestion de mémoires de masse impliquées dans le fonctionnement d'un graveur.

A propos des firmwares

Le firmware, c'est l'intelligence du graveur, un peu comme le BIOS d'un PC. Si vous avez acheté un graveur neuf, vous n'avez pas à vous préoccuper de ce logiciel. En revanche, si votre graveur est d'occasion, il est probable que des mises à jour ont été produites. Attention, certains graveurs ne peuvent pas être mis à jour (il est d'ailleurs préférable de les éviter).

Comment connaître votre version de firmware ? Avec un peu de chance, votre carte SCSI ou EIDE affichera au démarrage la liste des périphériques connectés, et dans une colonne le numéro de ce dernier.

Sur un PC équipé de Windows 95 ou 98, il suffira de sélectionner l'icône du graveur dans le Panneau de configuration, option Système, puis de cliquer sur l'onglet Pilote ou Ressources. Le numéro devrait être affiché face au champ Firmware revision.

Vérifiez ensuite sur le site Internet du fabricant du graveur la date de la dernière révision de firmware. Au besoin, s'il en existe une nouvelle, téléchargez-la puis lancez l'exécution du programme. Tout devrait être automatique.

Dans de nombreux cas, il sera possible de mettre à jour le graveur en utilisant un nouveau "firmware". Assurez-vous de cette possibilité importante avant d'acheter votre matériel.

INSTALLER LE LOGICIEL

Notre matériel est parfaitement installé. Il est donc temps de passer à la mise en place du logiciel. Dans la plupart des cas, c'est l'un des produits d'Adaptec (Easy CD), de

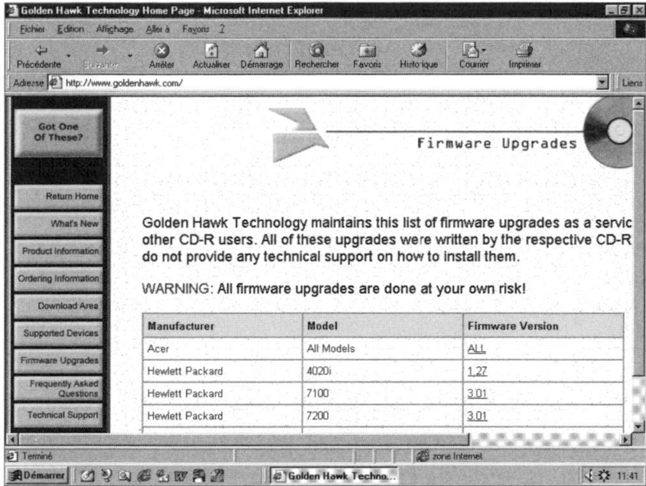

Figure 5.5 : Le firmware est important.

Ahead (Nero), ou encore de Cequadrat (WinOnCD), qui vous aura été livré. Pas de problème. Lancez le programme d'installation, et tout devrait être automatique.

Si vous avez acheté un graveur sans logiciel, vérifiez bien, avant d'acheter ce dernier, qu'il est compatible avec votre matériel. Des listes sont diffusées à cet effet par les éditeurs.

C'est fini, rendez-vous dans une Heure, pour passer à la gravure pratique !

Heure 6

Ce que les logiciels savent faire

Tout est prêt : un monticule de supports originaux jonche votre plan de travail. De tous types : vous voulez transférer vos cassettes vidéo sur CD vidéo, créer des copies de sauvegarde de CD-ROM, inventer des compilations audio pour le lecteur CD de votre véhicule. Vous voulez tout faire, vite, et bien ! On vous comprend. A tel point que nous allons vous expliquer le "comment" ! Mais, auparavant, formulons quelques recommandations... légalistes !

SOYEZ SAGE...

Car si nous vous donnons ici quelques informations de qualité pour savoir comment copier toutes les formes existantes de CD, sachez qu'il existe aussi des règles de bonne conduite. Attention : rien d'illégal dans tout ce qui est écrit ici, et aucun secret ne sera trahi. Mais il y a des lois, et derrière ces lois, des auteurs. Nous voilà donc aux droits des auteurs ! Plutôt que de vous les énoncer, je préfère essayer de vous faire comprendre leur utilité :

- Je n'apprécierais pas que ce livre soit photocopié pour être offert à des centaines d'utilisateurs de logiciels de gravure. J'ai beaucoup travaillé à sa mise au point : je mérite mes droits d'auteur !
- L'auteur de CD-ROM qui a investi beaucoup de son temps pour vous faire partager sa passion mérite une juste rémunération : copier son CD pour le donner n'est pas un comportement juste.

Ça, me direz-vous, c'est le problème de l'autre... Evoquons donc votre problème à vous, lecteur :

- Vous êtes ingénieur et les créations industrielles qui financent votre salaire sont plagiées en Asie, votre entreprise bat de l'aile et vous êtes licencié : tant pis pour vous.
- Vous étudiez l'informatique à l'université et vous copiez les logiciels que vous utilisez : ne venez pas vous plaindre plus tard que les éditeurs n'embauchent pas les jeunes diplômés : 30 % de leurs profits sont parfois perdus dans le piratage... Pas de chance, votre emploi aurait été financé par les 30 %.

Copiez honnêtement, mais ne volez pas ! Créer une compilation de vos CD audio pour votre voiture ou par commodité, ce n'est pas interdit si vous avez acheté les originaux. Créer une unique copie de CD-ROM pour ne pas endommager l'original, c'est toléré. Distribuer, reproduire, industrialiser... sont des activités strictement interdites, et sévèrement punies : pensez-y.

Assez pour la morale ! Au boulot !

LES MILLE ET UNE FAÇONS DE COPIER

On peut donc tout copier avec un graveur et un lecteur de CD pour peu que l'on soit équipé du matériel et des logiciels adéquats. En pratique, vous utiliserez principalement deux méthodes de copie :

- **La copie logique.** Elle consiste à transférer le contenu d'un CD sur un disque dur, puis de le réorganiser et de le regraver.
- **La copie physique.** Elle consiste à ne pas se préoccuper de la structure ou des standards des données contenues sur le disque. On recopie le CD, piste par piste, secteur par secteur, bit par bit.

Copie physique contre copie logique

Pour un même disque, il est parfois possible d'appliquer l'un ou l'autre de ces principes de copie. Prenons le cas d'un CD audio. Si nous voulons le copier tel quel, nous le reproduirons piste à piste pour obtenir un clone parfait. C'est une copie physique.

Si nous cherchons en revanche à récupérer seulement quelques pistes sonores, ou à réorganiser ces dernières, nous extrairons chaque piste une par une, les réorganiserons avec un logiciel spécialisé, et regraverons le tout sur un nouveau CD-R. C'est la copie logique.

Les subtilités de la copie physique...

La copie physique utilise le Raw Mode, qui ne fonctionne pas exactement de la même façon sur tous les graveurs et lecteurs ; en effet, un CD, quel qu'il soit, est censé être conçu selon les spécifications des livres, et donc contenir plusieurs types d'informations, détaillées ci-après.

- une table de contenu ;
- des pistes ;
- des subcodes enregistrés sur les pistes ;
- quelques informations système.

Tous les lecteurs de CD-ROM, tous les graveurs, sans exception, savent lire des tables de contenus et des pistes. En revanche, les subcode channels, quasiment jamais exploités aux débuts de l'ère du CD, ont été ignorés par les créateurs de logiciels et de matériels.

Le subcode est en effet une sorte de fantôme d'information qui se niche sur une piste de données ou audio, et n'est pas indispensable pour faire fonctionner des CD.

Comme presque personne ne l'utilise, on a donc souvent oublié de le prévoir dans les firmwares ! Gain de temps en termes de développement, mais hypothèque sur l'avenir. Car bien évidemment, le subcode est exploité non seulement sur les CD-Text, mais surtout, par certains dispositifs de protection...

Quel logiciel pour l'une ou l'autre de ces copies ?

En ce qui concerne la copie logique, ce sont les logiciels de création de CD classiques tels que Nero 5 (capable d'overburning) ou Easy CD Pro qui s'en acquittent. Il suffit de transférer les données sur un disque dur, de les réorganiser avec ces outils, puis de les regraver pour réaliser une copie.

Hier le plus réputé : CDRWIN

Pour la copie physique, le plus connu des logiciels est l'utilitaire CDRWIN, disponible en version d'essai limitée au mode de gravure 1× sur le site Internet de son éditeur, **www.goldenhawk.com**. Il s'occupe de tout : vous insérez le CD, il se charge de l'analyse, détermine le type du disque (audio, CD-ROM mode 1, mode 2, mode mixe, et CD+G), et le recopie. Malheureusement, les éditeurs de logiciels et de jeux n'aiment pas qu'on copie leurs programmes : on les comprend ! Eux aussi développent donc des dispositifs anticopies destinés justement à dérouter les outils de copie sur CD-R les plus utilisés !

Prenons l'exemple de la copie en Raw Mode : produite avec des outils ne gérant pas la totalité des spécifications des livres de CD-ROM, elle peut oublier à son tour un certain nombre d'informations ; il en résulte que la copie n'est pas 100 % fidèle.

Aujourd'hui le plus précis : CloneCD

Voilà pourquoi l'outil de copie CDRWIN si efficace hier ne fonctionne plus dans tous les cas aujourd'hui. Il doit donc être complété par CloneCD. Il est le seul outil capable de lire puis de copier absolument toutes les informations que contient un CD... tant que le matériel les supporte, ce qui n'est malheureusement pas toujours le cas. C'est le défaut de son avantage : CloneCD est 100 % efficace quand il est bien servi. Il faudra donc dans certains cas changer tout ou partie du matériel de gravure pour l'exploiter de manière vraiment optimisée. Il est disponible sur le CD, et sur **http://www.elby.de/CloneCD/english/**. La liste des matériels les plus adaptés avec CloneCD est présentée et régulièrement mise à jour sur le site de l'éditeur.

Certains utilitaires, tels que "Snapshot", ont été les premiers accessoires mis sur le marché pour copier "physiquement des disques" : ils sont utilisables lorsque la duplication "fichier par fichier" est rendue impossible. Ils sont désormais remplacés par des outils plus performants sous Windows tels que CDRWIN ou CloneCD.

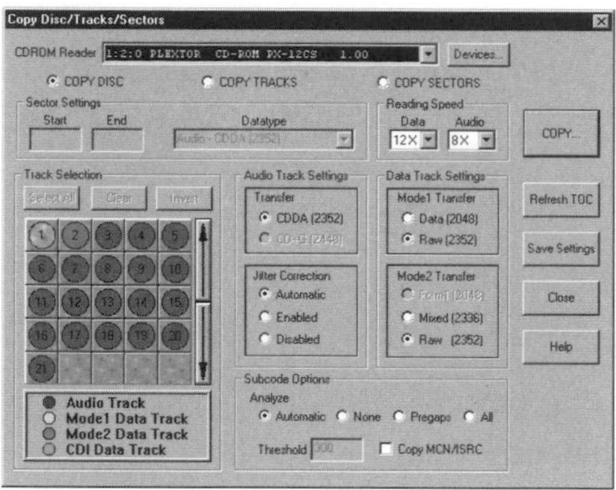

Figure 6.1 : Les utilitaires de copie physique.

La copie est forcément en mode disk-at-once

Seule la copie en mode disk-at-once permet de reproduire fidèlement une image ISO.

Le mode track-at-once n'est pas adapté, car il divise l'image en un ensemble de pistes virtuelles, et le disque ainsi reproduit sera occupé à intervalles réguliers par des blancs de deux secondes. Ces blancs n'étaient pas sur l'original, ce qui risque de provoquer des dysfonctionnements.

Examinons maintenant, cas par cas, toutes les possibilités de duplication de CD.

Copier un CD audio

Il existe plusieurs méthodes pour copier un disque audio :

- Celle qui consiste à digitaliser le son avec une carte son et à la stocker au format Wav sur le disque dur (voir Figure 6.2). Puis à la reconvertir avec un logiciel de création de CD au format CD audio, et à la réinscrire sur un CD-R. C'est une mauvaise solution, qui prend beaucoup de temps et qui génère des pertes de qualité. Elle est à réserver à la transcription de bandes audio, de cassettes ou encore de disques vinyle, sur un CD.

- La meilleure des solutions, c'est le tout numérique : extraction des pistes directement sur le CD audio, et numériquement, réinscription de ces pistes.

C'est cette dernière solution que nous retiendrons. Des logiciels réduits à leur plus simple expression, tel "Spin Doctor" d'Adaptec, sont d'ailleurs dévolus à cette unique fonction. Attention, tous les lecteurs de CD n'extraient pas les pistes audio à la même vitesse. Ainsi, le lecteur NEC6Xi n'est capable d'extraire qu'à une vitesse de 1×, alors que Plextor 6plex fonctionne parfaitement en mode extraction 6×. Vous l'avez compris, avec un extracteur 6× il sera possible de graver en même temps en 2×, alors qu'avec un extracteur 2× ou 1×, vous serez obligé de stocker provisoirement les données sur le disque dur.

Dans tous les cas, vous pourrez stocker des séquences sonores sur le disque, et les organiser comme bon vous semble avant de les regraver, par exemple avec Easy CD ou Easy CD Creator. C'est le principal avantage du processus de copie de CD audio par extraction : il permet la création de compilations sur mesure !

Pour copier n'importe quelle source sonore autre que celle contenue sur un CD audio, utilisez l'enregistreur standard de Windows. Attention toutefois aux pertes de qualité, notamment dues à la mauvaise qualité de la source.

Vous devez savoir que l'extraction de données audio est une réplique exacte des CD audio copiés, selon le point de vue de votre lecteur de CD-ROM ! Certains,

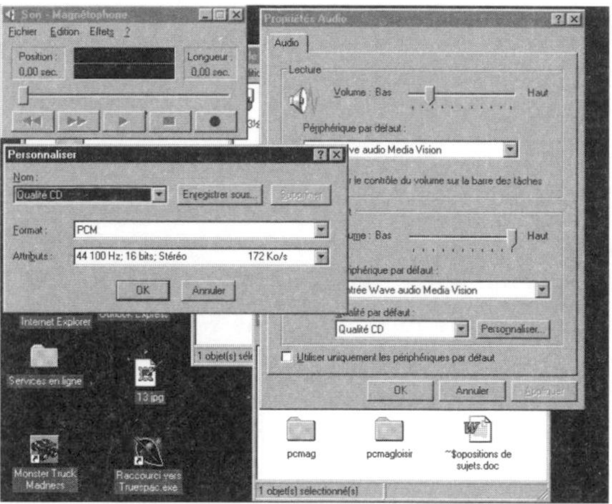

Figure 6.2 : Avec l'enregistreur, tout est possible !

en effet, ne lisent pas l'intégralité des bits audio et ne restituent donc que partiellement la qualité de l'original. Cela dit, les différences sont rarement audibles.

Copier un CD-ROM

La copie de CD-ROM est *a priori* la plus facile puisqu'il s'agit de récupérer des fichiers pour les transférer. Il suffit donc, soit de réaliser une copie disque à disque en utilisant les fonctions des logiciels de gravure, soit de copier le contenu du CD-ROM sur un disque dur, puis de le regraver. Dans ce dernier cas, la copie est très simple : il suffit d'utiliser l'explorateur de Windows 95 ou le finder du Macintosh ! Attention à la copie par la méthode "image ISO" exploitée par exemple par le module CD Copy de WinOnCD ou encore CDRWIN. Elle permet de récupérer le contenu d'un disque sous forme d'image (un fichier) stockée sur le disque dur sans se soucier de l'organisation ou du contenu. Sachez que l'image ISO occupe énormément de place sur le disque, et qu'elle vous oblige à la regraver sur un CD-R de taille supérieure ou égale à l'original. Ce qui pose parfois quelques problèmes, notamment avec la protection overburning que nous allons maintenant étudier.

L'overburning...

En effet, vous rencontrez toutefois des problèmes de copie liés à l'utilisation d'un mode de gravure industriel particulier, l'overburning (dont je parle en détail dans un autre ouvrage, *Le Magnum Gravure des CD & DVD*, voir Annexe). Cette méthode permet de graver sur un disque un peu plus que les 74 minutes théoriquement disponibles, par un processus ingénieux et à l'aide de machines spéciales. Résultat ? Tous les logiciels de copie sont mis en déroute par cette image ISO qu'ils ne savent pas extraire (trop importante) et encore moins graver (supports trop courts !). A l'heure actuelle, le logiciel Nero à partir de sa version 4, associé à des CD-R prévus pour l'overburning (on commence à en voir dans les rayons), est capable de dupliquer ce type de produit, et intègre une multitude d'aides à la copie. CloneCD est également très efficace pour copier les CD overburnés.

Jusqu'ici, la quasi-totalité des CD-ROM du marché n'était pas protégée contre la copie, privilégiant un dispositif d'enregistrement par numéro de série, c'est le cas de presque tous les CD-ROM système, de sharewares ou de bureautique. Depuis plusieurs mois, en revanche, de nombreux CD de jeux sont protégés par divers dispositifs (lire la fin de cette Heure pour plus de précisions). Ces jeux sont quasiment impossibles à copier avec un logiciel classique : il faut, pour les

reproduire, utiliser un outil comme CloneCD, associé à un graveur accédant aux subcode channels.

Copier les protections des CD-ROM

Les CD-ROM protégés sont identifiés par leur propension à vous demander d'insérer un disque original dans le lecteur avant de procéder à une lecture ! C'est très pénible et très injuste quand on possède légalement son original. Bref ! Vous avez le droit de copier ces CD-ROM protégés dans le cadre de votre droit à une copie de sécurité. Vous devrez utiliser le logiciel CloneCD associé à un lecteur de CD-ROM et un graveur 100 % compatible avec toutes les fonctions de cet outil.

Copier les CD des consoles Sony PlayStation, Sega Saturn, 3DO, Dreamcast

Ici, c'est la copie physique qui prime, avec CDRWIN (**http://www.goldenhawk.com**). Il permet en effet, sous certaines conditions, de recopier les CD des consoles. Le logiciel CloneCD est lui aussi bien adapté à la copie de ces CD, et contourne un certain nombre de protections (des pistes à longueur non standard notamment) que CDRWIN ne sait pas analyser.

Mais pour ces deux logiciels, dans presque tous les cas de figure, lorsque les "protections en écriture" ou les "simulations d'erreurs" de ces disques sont activées (ce qui est aujourd'hui toujours le cas), et bien que la copie réussisse, le disque restera illisible et rejeté par la console. Que se passe-t-il ? En réalité, le CD de console est correctement copié, mais le dispositif de protection (reproductible uniquement sur les machines industrielles de Sony) n'est pas inscrit, et la console refuse de le lire.

Il faut donc modifier la console en lui ajoutant un petit processeur, le modchip, qui permettra la lecture de ces copies. Il existe deux types de modchips (4 fils et 7 fils), qui, outre qu'ils permettent de lire des copies de sécurité sans piste de protection, autorisent la lecture de CD PSX d'imports (achetés au Japon ou aux Etats-Unis par exemple).

Nous manquons de place pour développer ce sujet ici. Sachez seulement qu'il est très largement repris dans un autre ouvrage, *Le Magnum Gravure des CD & DVD* (voir Annexe), avec de nombreux conseils pratiques ainsi qu'une multitude d'adresses Internet. En résumé, pour créer une copie de sécurité d'un CD PSX, vous devrez :

- copier le disque original avec CloneCD ou CDRWIN ;
- lire le disque sur une console équipée d'un modchip.

Les CD Dreamcast : reproduction impossible

On ne manquera pas de me parler de la Dreamcast. Sachez qu'il est aujourd'hui totalement impossible de reproduire un disque de console Dreamcast. Ces derniers sont en effet au format GD-ROM, totalement incompatible avec le format CD-R, et ce pour les raisons suivantes :

- **Un CD-R ne sera jamais capable de contenir plus de 99 minutes de données (soit 870 Mo).** C'est une contrainte physique qui signifie, *a fortiori*, que le gigaoctet de données du GD-ROM ne tiendra pas dessus...
- **N'espérez pas utiliser un DVD-R ou un DVD-RW pour copier ces CD.** Le lecteur de GD-ROM de la console Sega est physiquement incapable de lire les disques que ces appareils produisent !

En d'autres termes, les individus qui vous affirment avoir réalisé des copies de CD Dreamcast sont des menteurs. Dans le meilleur des cas, ils ont copié les deux premières pistes du disque GD-R, effectivement lisibles par un lecteur de CD-ROM et reproductibles par un graveur. Pour les autres pistes, haute densité, c'est raté : et pas de chance, le jeu est dessus !

Ce qui me permet d'ajouter, pour épargner votre porte-monnaie, qu'un ami qui vous vendrait des disques GD-R est en réalité un escroc, et que, si un autre ami vous vend des copies de disque Sega Dreamcast fonctionnelles sur de vrais GD-R, vous feriez mieux de passer votre chemin, car vous avez forcément affaire à un autre individu douteux.

Les DVD de consoles PlayStation II

Il existe actuellement très peu d'informations relatives à la copie sur PlayStation II. Pour mémoire, cette fabuleuse console, 100 % compatible avec les jeux de la version 1, fonctionne en 128 bits, est équipée d'une flopée de microprocesseurs graphiques, 3D, d'un décompresseur MPEG-2 compatible avec les DVD vidéo... Et oui : la PlayStation II est équipée d'un lecteur de DVD-ROM 4×, compatible CD-ROM en mode 24×.

Pour copier des jeux spécifiquement écrits pour les PlayStation II, il faudra un graveur de DVD-R ! Il faudra aussi contourner les protections, qui existent forcément, et sur lesquelles je n'ai trouvé aucune information pour le moment. Un peu de répit pour Sony qui le mérite bien tant son produit semble performant.

Copier et créer des DVD vidéo et des Video-CD

Auparavant, pour créer des formats vidéo sur CD-R, la seule possibilité était d'exploiter des CD vidéo (format abandonné), ou encore de procéder à une acquisition *via* une carte. Désormais, grande nouveauté, on peut aussi copier des DVD vidéo grâce à un ensemble d'outils compatibles.

Concrètement, pour copier des DVD sur CD-R, on recourt à un module de création de Video-CD d'un logiciel de gravure : dans ce cas, nous créons un disque.

Créer des Video-CD

Si vous souhaitez créer des CD vidéo répondant au *White Book* des Video-CD, et que ces CD soient lisibles avec un lecteur de CD vidéo (ou un CD-I), ou de DVD, vous devez tout d'abord être équipé d'un ensemble logiciel capable de créer le format MPEG approprié. La création d'un CD vidéo suit en effet la procédure suivante :

- créer le fichier vidéo au format MPEG-1 compatible avec le *White Book* ;
- graver le CD-R avec ce fichier en respectant les spécifications du *White Book*.

Le logiciel Easy CD Creator fut le premier outil capable, en théorie, de transformer les fichiers AVI récupérés par votre carte graphique en fichiers MPEG. Dans les faits, Corel a pris certaines libertés avec le format MPEG, et les disques ainsi créés fonctionnaient plutôt rarement ! Heureusement, des outils de conversion sont arrivés sur le marché, beaucoup plus efficaces : WinOnCD par exemple, ou encore AVI2MPG1 (disponibles à l'adresse **http://www.mnsi.net/~jschlic1/**).

Une fois que votre séquence vidéo répond au bon format, vous pouvez utiliser l'ensemble logiciel "Video Easy CD Creator", livré avec Easy CD Creator pour créer un disque totalement compatible avec les lecteurs de CD vidéo. WinOnCD est muni du même dispositif de création de Video-CD totalement compatible avec les consoles de Philips et donc avec les lecteurs de DVD vidéo : ce dernier logiciel recueille nos faveurs, car il est totalement automatisé. Il suffit de lui spécifier le nom de n'importe quelle source, le plus souvent des fichiers AVI, et le logiciel se charge de la convertir au format MPEG compatible avec les spécifications du Video-CD.

Le logiciel Nero dans sa version 5 est également compatible Video-CD, et Super Video-CD : dans ce second mode, il sait créer des disques contenant des séquences au format MPEG-2, compatibles avec les lecteurs de DVD vidéo de salon, et par ailleurs quasiment équivalentes en termes de qualité.

Copier des CD vidéo

Pour la copie d'un disque existant, c'est encore plus simple (voir Figure 6.3) : la technique consiste en une récupération de la structure des fichiers contenus sur le CD vidéo (compatible ISO 9660) en la copiant sur un disque dur, puis d'une réinscription sur un CD-R en ayant recours aux formats du *White Book*, soit :

- mode 2, Form2 ;
- structure de fichiers ISO 9660.

Une simple copie disque à disque de fichiers, telle que nous la décririons dans l'Heure 8, pour les fichiers ou les CD-ROM !

Figure 6.3 : Le CD vidéo est lisible sur un PC !

Le CD vidéo est enregistré avec une structure de fichiers ISO 9660, et en mode standard. Vous pouvez donc le lire sur un PC sans difficulté, et le recopier avec les méthodes de duplication de CD-ROM.

Copier des DVD vidéo

Après la copie de bandes vidéo et des CD vidéo, passons à celle des DVD ! La copie d'un DVD vidéo, quelle que soit la destination finale du contenu, à savoir CD-R, DVD-R ou DVD RAM, commence d'abord par l'extraction de ses pistes. A vrai dire, cette manipulation est la plus délicate d'entre toutes. Il faut en effet procéder à un ripping, action de déblocage de la protection des pistes de DVD (le système CSS) et des informations qu'elles contiennent. N'espérez donc pas faire glisser délicatement les pistes du

DVD (visibles sous Windows puisque organisées par une structure de fichiers ISO 9660), tout est verrouillé !

L'extraction ou ripping

Cela dit, la manipulation est possible ! Voici le processus du ripping :

1. Installez le logiciel de ripping CladDVD téléchargé sur **http://www.digital-digest.com/dvd/downloads/ripping_soft.html**.
2. Insérez le DVD vidéo dans son lecteur de DVD-ROM.
3. Lancez le logiciel CladDVD, vous observez dans ses fenêtres le reflet du contenu de votre disque DVD.
4. A ce stade, vous pouvez cocher les cases Multiregion et No macro, qui suppriment le zonage et la protection par macrovision.
5. Cliquez sur l'icône Rip full DVD : le contenu du DVD vidéo est extrait sur votre disque dur ! Sans difficulté puisque tout est architecturé sous forme d'un système de fichiers ISO 9660 !
6. Après quelques heures, votre disque devrait être garni de 6 gigaoctets de données supplémentaires ! La protection CSS est contournée, mais nous n'avons pas terminé. Il faut désormais graver une copie !

Pour lire un DVD depuis le disque dur...

Si vous souhaitez lire un DVD depuis un disque dur avec un lecteur logiciel tel que Power DVD, vous devez strictement respecter la norme d'organisation des fichiers DVD vidéo et donc ripper vos fichiers dans un répertoire "standard", intitulé "VIDEO_TS".

Si tout s'est correctement déroulé, vous possédez maintenant sur votre disque dur un répertoire contenant plusieurs fichiers avec extension .VOB. Ces fichiers contiennent le film MPEG-2 et les pistes sonores qui l'accompagnent. Nous disons "les pistes sonores", car la majeure partie des disques sont multilingues.

Bien évidemment, pour la majorité d'entre nous, il est impossible de conserver cette séquence MPEG-2 telle quelle et de la graver sur un DVD-R : cependant, si vous êtes l'un des heureux détenteurs de graveur DVD-R Pioneer compatibles avec les DVD-R double face, c'est possible !

Copie du DVD vidéo sur un DVD-RAM ou un DVD-R

Il vous suffit de reproduire la structure ISO 100 % compatible DVD vidéo : tous les fichiers extraits du DVD sont recopiés dans un répertoire intitulé "VIDEO_TS". Ensuite vous utilisez ce répertoire et son contenu pour recréer une structure ISO 9660 (par exemple avec les outils de Prassi) qu'il ne vous reste plus qu'à recopier. C'est simple, et ça marche aussi avec les DVD-RAM !

Quelques lignes pour les riches, ce que ça fait gagner du temps l'argent, quand même ! Pour les autres, la copie de DVD sera plus longue ! Evidemment, cette manipulation est à réserver aux professionnels : votre disque vierge, DVD-R ou DVD-RAM, vous coûte à peu près le prix d'un disque neuf (environ 280 F le DVD-R Pioneer)... Et de toute façon, la quasi-totalité des films occuperont une fois ripés, entre 5 et 6 Go : le graveur et les disques DVD-R de Sony ne dépassant pas 4,7 Go, et le DVD-RAM de Panasonic 5,2 Go en double face, il va falloir couper...

Copie du DVD vidéo sur un CD-R

Une fois le ripping terminé, vous devrez convertir votre séquence MPEG-2 constituée des fichiers avec extension ".VOB" au format MPEG-1 du CD vidéo. Vous utiliserez pour cela le convertisseur AVI2MPG1 présenté plus haut.

Avec Easy CD Creator 3.x et 4.x

Avant toute manipulation assurez-vous que vous possédez assez d'espace disque. Sachez que l'espace nécessaire est au moins égale à la taille de votre fichier vidéo. En règle générale, il est préférable de disposer d'au moins 1 Go de libre. Le chemin par défaut d'Easy CD est "c:\windows\temp", mais rien ne vous empêche de pointer sur un autre disque, avec le menu Fichier, option Préférences.

Importer la séquence MPEG-1

Choisissez le module Video Easy CD Creator. Si vous n'utilisez pas l'assistant : dans le menu Edition, choisissez Ajouter un élément. Récupérez votre séquence MPEG. Il peut arriver que cette dernière ne soit pas reconnue si sa configuration n'est pas exactement celle du Video-CD. Dans ce cas de figure, recompilez votre séquence avec AVI2MPG1.

Préparer le layout

Faites glisser l'icône de votre séquence vidéo de la fenêtre de gauche à la fenêtre de droite ("Contenu de la structure du CD"). Cette fenêtre de droite correspond au "layout" de votre futur CD vidéo.

Transformation en CD-R MPEG-4 ou DivX

Dernière combinaison possible, la transformation d'un disque DVD en CD vidéo. Pour transformer ce DVD, il vous faut en premier lieu extraire les séquences vidéo

MPEG-2 de votre disque DVD, à l'aide d'un ripper tel qu'expliqué dans les étapes précédentes. Cette étape est obligatoire pour décoder les pistes des DVD, qui, rappelons-le, sont protégées par la méthode CSS.

Pour mémoire elle consistera en :

- l'insertion d'un DVD dans le lecteur ;
- l'extraction de ses pistes VOB avec le ripper ;
- la conversion de la piste MPEG-2 au format MPEG-1 avec un convertisseur.

Copier les CD-I

Pour copier un CD-I, vous suivrez une procédure identique à celle employée pour les CD vidéo. Il vous suffit de copier le contenu du CD-I sur votre disque dur, puis de regraver l'ensemble en utilisant les spécifications du CD-I soit Mode 2, Form2, soit structure de fichiers ISO 9660.

Copier les disques de karaoké CD+G

La norme CD+G est utilisée par les disques dédiés aux machines de karaoké. Cette norme permet d'afficher simultanément des images ou des sous-titres pendant le déroulement d'une chanson. Malheureusement, les machines de karaoké emploient une logique particulière.

Conséquence : ces disques ne peuvent être reproduits qu'en utilisant les possibilités de quelques graveurs. Ces derniers doivent en effet être équipés d'un logiciel capable de reproduire le "code" spécifique des CD+G. Les graveurs compatibles sont les suivants :

- Creative CDR4210 ;
- Panasonic CW-7501 ;

- Plasmon CDR4240 ;
- Sony CDW-900 E ;
- tous les modèles de Yamaha.

Autre point : pour copier ces disques vous devez être en mesure de les lire ! Là aussi, il existe quelques restrictions. Seuls les modèles de graveurs Yamaha CDR200 et CDR400 sont capables de lire et d'écrire des CD+G. Par ailleurs, les lecteurs suivants sont eux aussi capables de lire des CD+G :

> Plextor 4Plex Plus, 8Plex, 12 Plex, Plextor 12/20Plex et Sony 76S (ce dernier n'étant pas toujours parfaitement compatible).

Vous avez donc quelques problèmes de compatibilité à résoudre avant de vous occuper de la partie logicielle de cette duplication. Car, pour dupliquer les CD+G, il faut aussi un logiciel spécialisé : DAO.EXE sous DOS ou mieux, CDRWIN encore, capable non seulement de copier les disques audio, les CD-ROM en modes 1 et 2, mais aussi les CD+G. Vous pourrez vous procurer ces logiciels (en version d'essai), à l'adresse :

http://www .goldenhawk.com/.

Copier un Photo-CD

Les Photo-CD de Kodak exploitent des CD-ROM XA en mode 2. Vous devez donc être équipé d'un graveur supportant ces modes pour être en mesure de dupliquer ces disques. Attention ! Le format d'enregistrement de Kodak est breveté, et par ailleurs très largement protégé. D'ailleurs, pour s'assurer de la difficulté de reproduire ses disques, Kodak a inventé un système multisession différent des standards de CD-ROM. Alors que dans un CD-R ou un CD-ROM, chaque session contient sa propre structure de fichiers, avec le Photo-CD Kodak, les informations relatives à l'organisation des fichiers sont organisées pour que les informations semblent être cumulées dans un seul volume. Il faut donc un logiciel de copie physique pour reproduire cette organisation. Ici encore, le dupliqueur piste à piste CDRWIN dans sa toute dernière version est le mieux adapté en vous affranchissant des contraintes de réorganisation de la structure de fichiers. Vous pouvez aussi utiliser les logiciels de Kodak, qui, malheureusement, ne fonctionnent qu'avec les graveurs de la marque...

Pour plus d'informations, vous pouvez consulter le site de Kodak, à l'URL : **http://www.kodak.com**.

Figure 6.4 : Kodak est verrouillé !

Photo-CD et verrouillage

Les Photo-CD de Kodak sont bien protégés : seuls les outils logiciels de la marque tels que MultiWrite permettent de les dupliquer et de les manipuler.

Notes sur les protections en vigueur sur les CD-ROM

S'il est aisément reproductible sous presque toutes ses formes, le CD peut parfois être protégé. Il est difficile de connaître les techniques de protection en vigueur, les développeurs n'ayant pas la volonté de communiquer au public leurs techniques (on les comprend) ! Néanmoins, pour ceux qui souhaiteraient protéger leurs œuvres, voici un descriptif de quelques-unes des techniques de protection.

Première constatation, comme au bon vieux temps de la protection de disquettes, c'est par des "bidouillages" savants de la structure des fichiers qu'on tente le plus souvent de protéger les CD. Le principe est simple : essayer d'induire en erreur les commandes des systèmes (DOS ou Windows) en cas de tentative de copie, tout en les laissant fonctionnelles pour de simples exécutions. On peut ainsi lire le CD, mais il est impossible de le copier avec des méthodes standard.

"Bidouillage" de structure de fichiers

La plus répandue de ces techniques consiste en une augmentation de la taille de plusieurs fichiers afin que ces derniers finissent par occuper des centaines de mégaoctets. Astuce : ce ne sont pas les fichiers en eux-mêmes qui sont volumineux ! En fait, seule l'entrée du répertoire est modifiée pour faire croire que les fichiers sont plus longs qu'il n'y paraît ! Ainsi, tant que l'application exécute les fichiers, tout fonctionne correctement, mais dès qu'une tentative de copie est réalisée, le système ne comprend plus pourquoi la longueur réelle des fichiers n'est pas celle que la structure du disque lui communique. Résultat ? Abort, Retry, ou Cancel !

Cette technique est généralement contournée par les pirates en réalisant une copie "piste à piste" du disque. Dans ce cas, on copie des données et non une structure, et la protection n'est plus opérationnelle.

Piste non reproductible et signature

Les CD industriels sont en mesure de recevoir une zone de données au-delà des 74 minutes, en théorie disponibles : c'est l'overburning dont nous avons déjà parlé. Mieux, cette zone est lisible par les CD-ROM. Ainsi, ce que l'ordinateur peut lire, le graveur ne peut le copier puisque son faisceau est strictement limité à 74 minutes. C'est une méthode efficace, tant que les graveurs et leurs logiciels ne sont pas en mesure de reproduire cette zone : or, les graveurs les plus récents, munis du logiciel approprié, en sont capables.

Il existe aussi un certain nombre de dispositifs de protection qui exploitent certaines fonctions non reproduites par les logiciels de gravure les plus classiques, dont nous vous donnons les noms et les conséquences en cas de copie :

- **Safedisk** (PC), qui provoque des erreurs de secteurs.
- **Laserlock** (PC), qui crée de mauvais secteurs.
- **Securom** (PC), qui lit des données dans les subcodes des pistes de données.
- **Protect CD** (PC), qui provoque des copies de TOC invalides.
- **Unsure** (PC), qui provoque des copies de TOC invalides.

Dans ces deux cas de figure, il faut, pour que la protection soit active, qu'un morceau de logiciel ajouté à l'application contenue sur le CD, vienne lire ces données "impossibles à reproduire" et vérifier leur validité. Le fonctionnement de cette portion de code est simple : signature correcte, le CD est original, signature incorrecte ou absente, le CD est un faux. Ces protections sont d'un bon niveau puisqu'elles obligent le pirate à copier l'intégralité du CD sur disque, puis à utiliser les outils système des PC ou des Mac afin d'identifier la portion de code vérificatrice pour la désactiver. Ces protections sont d'autant plus efficaces que la portion de programme est généralement courte. Elle peut tenir dans une cinquantaine d'octets écrits en assembleur, codés, par exemple, par l'application du mode XOR sur chacun des octets composant le programme de protection. Pour contourner ces types de protection, il faudra être équipé du logiciel CloneCD, et des lecteurs de CD-ROM et graveurs capables de reproduire à la fois le programme de protection et les zones spécifiques qu'il exploite.

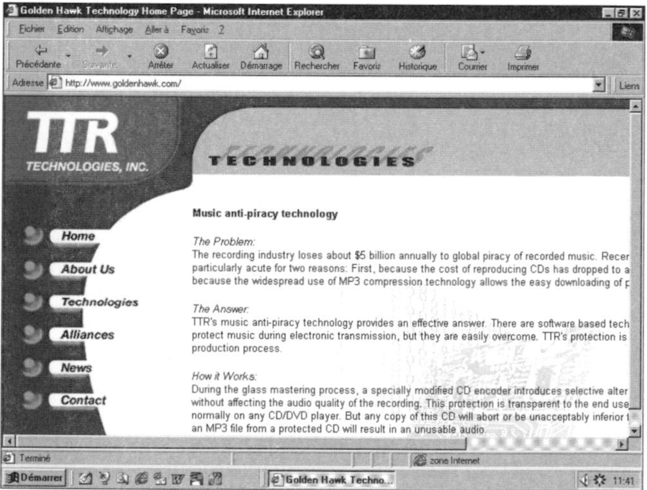

Figure 6.5 : Les CD antipirates existent !

Secteurs erronés

Une méthode de protection beaucoup plus sophistiquée, inspirée des protections de disquettes de dernière génération, consiste à écrire des données erronées dans la portion ECC (correction) des secteurs de données. Tous les lecteurs de CD-ROM sont équipés d'une électronique de correction de ce type d'erreur, et l'utilisateur n'est donc absolument pas gêné par elles. Le copieur "piste à piste" est plus mal loti puisqu'il charge ces données erronées, sans difficulté, mais les écrit en les corrigeant. Cette technique est typiquement utilisée sur les disques des consoles Sony PlayStation en exploitant la très grande précision des systèmes de détection d'erreur de ces machines. C'est le prototype même du disque quasi "incopiable" pour le moment !

Tous ces dispositifs concernent les disques contenant des données informatiques : CD-ROM, disques de consoles. En ce qui concerne les CD audio et les CD vidéo, il est techniquement impossible d'appliquer une quelconque protection pour le moment.

Sachez qu'il en va tout autrement pour les DVD qui, semble-t-il, disposent de toute une batterie de protections déjà définies, et étroitement liées au matériel. Pour ceux-là, la copie sera bien plus compliquée...

Les outils pour copier des DVD

Il nous reste évidemment une question importante : existe-t-il des outils analogues à CloneCD ou à CDRWIN pour copier des DVD ? La réponse est non ! Pour le moment, la copie de DVD passe par une extraction du système de fichiers ISO, et son stockage sur le disque dur. Cela dit, à l'époque du DVD-R à 20 000 $ (environ

140 000 F), je vous suggère vivement, plutôt que d'essayer de réaliser des copies de sécurité avec ce type de graveur... de privilégier l'achat de logiciels en double !

LA GRAVURE SANS... COPIER !

Les logiciels qui équipent vos graveurs ne savent pas que copier ! Leur spécialité serait même plutôt la gestion, l'organisation, le traitement d'informations qui vous appartiennent, en vue de les graver.

Heure 7

Préparation du PC et du logiciel

Avant de passer à la gravure proprement dite, il importe de régler certains paramètres de votre machine. Evaluer les performances, nettoyer les disques durs... le tout ne prend que quelques minutes. Les objectifs de cette Heure sont :

- déterminer le disque dur le plus rapide ;
- nettoyer ce disque dur pour en optimiser les performances ;
- à l'aide de cette information, choisir la vitesse de gravure optimale (1×, 2×, 4×) ;
- configurer les buffers du graveur ;
- configurer le logiciel pour le rendre prêt à l'emploi.

En accomplissant ces opérations, nous graverons dans les meilleures conditions, tout en supprimant autant que possible les risques de copies ratées dues à des erreurs de "flux" et à des saturations de buffers.

LE CHOIX DU MEILLEUR DISQUE DUR

Les performances du disque dur exercent une grande influence sur la fluidité des données. Plus le disque est rapide, et moins vous risquez de rater vos CD-R. En conséquence, le choix du disque implique de se livrer à des tests méticuleux. Ces tests vous aideront à choisir entre les deux options de création que vous proposera le logiciel de gravure :

- **Fichier par fichier.** En utilisant une structure de fichiers définie par vos soins.
- **Par image ISO.** En créant d'abord sur le disque dur une copie complète de ce que sera votre CD, ensuite transmise intégralement au CD-R.

Faites votre choix sans perdre de vue les observations suivantes :

- La copie fichier par fichier exige un disque dur très rapide. Il faut garantir au CD-R un flux constant de données. L'accès incessant aux informations combinées à la construction en temps réel du CD-R est, en effet, source d'importante pertes de temps. En contrepartie, avec cette option, vous n'avez besoin que de quelques mégaoctets pour graver vos CD.
- La copie de fichier par image ISO est moins exigeante en termes de débit. Le travail de mise en forme est déjà fait. Mais vous devrez, pour stocker un CD complet, disposer d'au moins 700 Mo sur le disque dur !
- Attention aux ressources nécessaires. Si vous souhaitez à la fois copier le contenu d'un CD sur le disque (CD audio, CD vidéo, CD-ROM), le modifier, l'éditer, puis le recopier avec une image ISO, c'est de 1,5 Go que vous aurez besoin !

En conclusion, dans le cas de l'enregistrement par fichiers, vous n'avez pas besoin de dédier un disque à la copie. Mais le disque doit être très rapide. Dans le cas de l'image ISO, la capacité de votre disque est obérée par le logiciel de gravure. Mais la vitesse du disque est moins importante, et vous éliminez des risques d'erreurs de flux. Or les disques rapides ont presque toujours une capacité de 1,5 Go, alors que les petits disques sont lents.

Moralité ? Pour copier et graver au mieux, réservez un espace de 700 Mo au moins et 1,5 Go au mieux sur un disque rapide, quitte à en acheter un nouveau !

Cela dit, vous êtes peut-être déjà équipé de plusieurs disques durs ? Dans ce cas, choisissez le plus rapide, et réservez-le. Rien ne vous empêche de l'utiliser pour d'autres applications quand vous ne gravez pas. Vous devrez indiquer son nom au logiciel dans quelques minutes !

Préparation du disque dur

Le disque dur de travail choisi, il reste à le préparer. Si ce dernier est déjà occupé par d'autres fichiers que ceux nécessaires au fonctionnement de l'ensemble de gravure, créez un répertoire temporaire dans la racine. Il vous servira à stocker vos fichiers de travail : par exemple, *D :>MESCD.*

Rassurez-vous, ce répertoire n'a aucune influence sur vos futures créations de CD : la structure gérée par le logiciel étant complètement différenciée de celle présente sur le disque dur. Vous verrez d'ailleurs qu'il sera possible de picorer des fichiers à droite et à gauche dans une multitude de répertoires, pour créer ensuite une structure de fichiers complètement différente sur le CD.

Mais nous devons d'abord nettoyer le disque. Les deux utilitaires que nous allons utiliser sont accessibles par le menu Démarrer, Programme, Accessoires, Outils système (voir Figure 7.1).

- **Première étape.** Le nettoyage et la suppression des fichiers perdus grâce à la commande ScanDisk.
- **Seconde étape.** La défragmentation, c'est-à-dire la restructuration du système de fichiers du disque pour le rendre plus rapide. Lancez la commande Defrag. Si vous ne l'avez jamais utilisée, votre disque sera probablement très fragmenté, et l'opération sera longue. Vous risquez d'attendre quelques minutes voire quelques heures.

Nous croyons utile ici, de vous inciter à installer ces deux commandes, Defrag et ScanDisk, directement dans le menu Démarrage de Windows 95. Elles seront ainsi exécutées à chaque lancement de l'ordinateur et ne travailleront, chaque fois, que quelques secondes. N'oubliez pas de les faire pointer sur le bon disque dur, en l'occurrence celui qui contient le répertoire de travail du graveur.

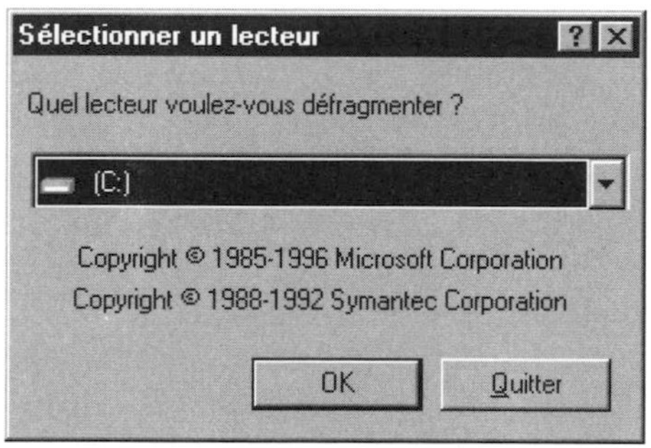

Figure 7.1 : La commande Defrag.

Configuration de l'outil de création

C'est maintenant le moment de procéder aux derniers réglages de la station de gravure, avant création ! Selon les logiciels que vous utiliserez, certains procéderont eux-mêmes à une analyse de la configuration et préconiseront automatiquement des paramètres. Attention ! Ces configurations ne sont pas forcément ce qui se fait de mieux. Deux paramètres, en l'occurrence essentiels, sont souvent proposés de façon optimiste par les logiciels, les buffers, et la vitesse de gravure par défaut. Auparavant, indiquons au logiciel que nous souhaitons qu'il utilise les répertoires préparés pour lui.

Choisir les chemins

Votre disque dur nettoyé, il est temps d'indiquer à votre logiciel de gravure comment l'utiliser. Ce sont les "chemins par défaut" que vous devez modifier. Images ISO, fichiers temporaires et répertoires pour les "layout" pourront être définis. Par défaut, le logiciel les a probablement positionnés sur des disques non souhaités.

- Choisissez la ligne Préférences du menu Fichier (voir Figure 7.2).
- Faites pointer les lignes Répertoires temporaires pour les fichiers et Répertoires temporaires pour le cache musical sur le répertoire que vous avez créé sur le disque dur le plus rapide.
- Avec les logiciels utilisant l'image ISO, tels qu'Easy CD, spécifiez aussi dans les préférences le chemin de votre disque dur et du répertoire de travail (dans notre exemple, disque D:, répertoire MESCD). Pour ceux qui ont recours à d'autres noms (tels qu'Easy CD Creator)

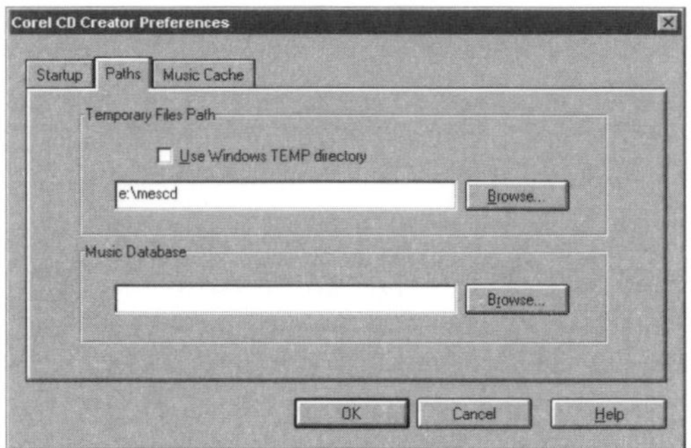

Figure 7.2 : La fenêtre Préférences.

pour décrire la même fonction, faites pointer le "buffer d'enregistrement".

Tester les capacités de la station

Il faut maintenant choisir les paramètres de gravure. Pour les régler nous-mêmes, et ainsi optimiser ceux que le logiciel nous a proposés, nous devrons user de toutes les possibilités de test disponibles. C'est long, c'est fastidieux, mais c'est une garantie de bonne fin pour nos manipulations futures. Première étape, analyser la configuration. Dans cet exemple, nous nous servirons d'Easy CD Creator. Ne vous inquiétez pas si votre logiciel est différent ; il est probablement muni d'une option similaire, accessible par les mêmes enchaînements de menus.

- Dans le menu Fichier, choisissez l'option System test. Choisissez d'abord l'option Tester le disque dur. Le logiciel évalue la rapidité du disque que vous avez choisi. La vitesse trouvée vous est communiquée (voir Figure 7.3). Elle est à mettre en parallèle avec la vitesse de gravure que vous souhaitez obtenir. Un débit de 1 600 Ko/s, par exemple, permettra, sans soucis, de copier en mode X2 (300 Ko/s). Adoptez pour règle que le débit du disque soit au moins 2 ou 3 fois supérieur à celui de la gravure.

- Utilisez désormais la fonction Tester l'enregistreur. Préparez un disque vierge. Ce dernier sera demandé par le graveur et le logiciel (voir Figure 7.4). Rassurez-vous, il ne sera pas enregistré. Le graveur va alors essayer toutes les vitesses disponibles, tout en lisant simultanément des fichiers fictifs qu'il aura créés sur le disque dur. Ce test permet au logiciel d'évaluer la vitesse précise qui lui semble permise.

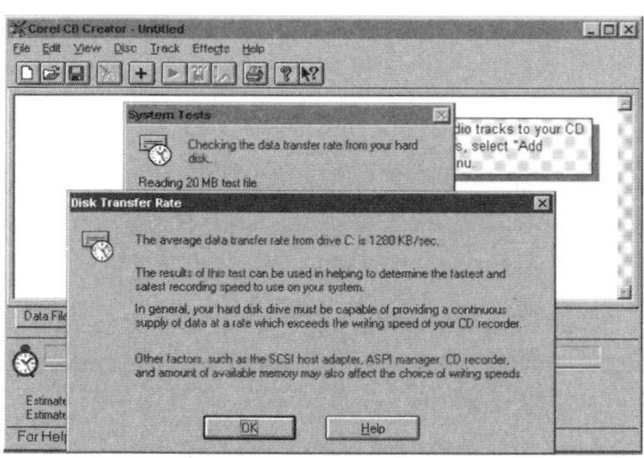

Figure 7.3 : Le logiciel doit évaluer la vitesse moyenne de votre disque dur pour déterminer la vitesse de gravure maximale qu'il pourra adopter.

En plus de la fonction de test de disque dur, le logiciel peut procéder à un test des vitesses de gravures permises par le matériel. Attention : ce n'est pas parce que votre graveur est capable de 4×, que l'ordinateur sur lequel il est installé saura gérer cette possibilité. C'est tout l'intérêt de ce test.

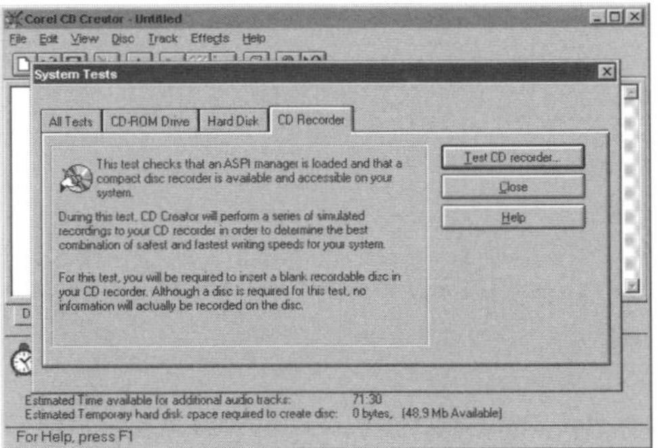

Figure 7.4 : Evaluation de la vitesse du graveur.

Cette vitesse préconisée par le logiciel n'est pas à prendre comme une assurance de réussite en soi. Lorsque le logiciel de gravure simule une écriture, il n'exploite pas, loin s'en faut, toutes les possibilités du système. Vous, oui ! En conséquence, le mode 2 préconisé fonctionnera avec des CD-R sur lesquels on grave 10 Mo, mais jamais sur des CD-R de 640 Mo enregistrés en mode 1 ! Voilà pourquoi, à l'issue du test logiciel, vous devez procéder à votre propre test à l'aide de la fonction Simulation d'enregistrement.

La simulation d'enregistrement

Tous les graveurs sont équipés d'une fonction de simulation d'enregistrement. Dans ce mode, supporté par presque tous les logiciels, toute la mécanique et la logique de l'appareil sont activées, comme pour une gravure, mais le faisceau laser ne fonctionne pas. Le disque est donc préservé. L'avantage de ce mode est le suivant : vous testez l'enregistrement en situation réelle, et toutes les erreurs rencontrées peuvent être résolues, sans pour autant "brûler" des dizaines de CD-R !

Simulation d'une sauvegarde de disque dur

Nous allons donc simuler l'enregistrement d'un disque d'une capacité de plusieurs centaines de mégaoctets, en exploitant la configuration préconisée par défaut par le logiciel.

- Commencez par créer une "définition" de CD (layout) en déroulant le menu Fichier, option Create layout.
- Avec le bouton "+" dans CD Creator (Add, ou Glisser-déposer dans d'autres logiciels), ajoutez à la définition de CD (le layout) tous les fichiers que vous pourrez trouver sur votre disque dur, jusqu'à concurrence de 400 à 500 Mo au moins (voir Figure 7.5).
- Lancez l'option Graver un CD depuis le menu Fichier (option Create CD from layout).
- Laissez tous les paramètres tels quels, mais cochez l'option Simulate recording.
- Insérez un CD vierge et attendez !

Le meilleur test

Aucun test ne remplacera jamais l'essai en situation réelle : le meilleur possible consiste en une copie du contenu d'un disque dur sur un CD-R. Ici, votre ensemble de duplication sera testé dans ses moindres recoins, et dans les conditions exactes de vos futures duplications.

Deux solutions possibles à l'issue de cet essai : la gravure simulée s'est correctement déroulée jusqu'à son terme ; tout est bon, gardez la configuration. La gravure est peu

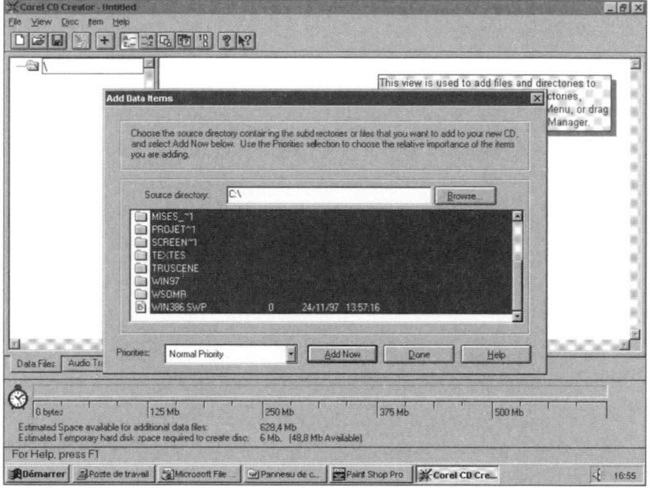

Figure 7.5 : Simulation d'une copie de disque dur.

satisfaisante, voire très mauvaise : il est alors probable que des messages "buffer underun error" vous ont été transmis. Il va donc falloir procéder à de petits réglages. Solutions :

- La plus radicale : réduire la vitesse ! Passer du 2× au 1× ou du 4× au 2×. C'est dommage, mais c'est ainsi.
- Evidemment, si vous étiez déjà en mode 1×, vous ne pouvez rien réduire. Vous devez avoir un gros problème ! Mémoire vive insuffisante ? Programmes résidents ralentissant la configuration ? Cherchez toutes les solutions éventuelles pour accélérer globalement votre PC.

Mais la plus subtile des solutions, et la plus satisfaisante, consiste en une modification de la taille des buffers. Choisissez l'option CD recorder Setup, disponible dans le menu File avec CD Creator, et cherchez l'option Buffers (troisième onglet dans notre CD Creator).

- Le buffer de lecture n'a pas grande importance, en revanche, celui d'écriture conditionne la réussite de l'opération (voir Figure 7.6). Essayez de le définir pour qu'il accepte la plus grande taille disponible. La capacité maximale des buffers dépend de votre graveur, et est probablement inscrite dans la documentation de ce dernier.
- Recommencez la procédure de simulation d'enregistrement depuis le début.
- Si tout se passe bien, tant mieux, dans le cas contraire, vous devrez vous résoudre à réduire la vitesse... ou à changer de PC.

Dépassements de buffers

La simulation n'est pas non plus une garantie de bonne fin ! En changeant de mode, de format de piste, il se peut que des dépassements de buffers se produisent de nouveau. Il faudra, dans ce cas, passer définitivement au mode 1× pour résoudre le problème.

Le réglage des buffers

Le réglage des buffers de l'enregistreur est parfois possible à travers des menus du logiciel de gravure (voir Figure 7.6). Le nombre maximal de buffers admis varie d'un matériel à l'autre. Dans de nombreux cas, désormais, les buffers sont automatiquement exploités au maximum de leurs capacités par les logiciels de gravure : Easy CD 3.x et supérieurs, WinOnCD 3.x, et Nero 3.x sont dans ce cas. Consultez votre documentation, et utilisez si besoin les options qui rendent tous les buffers disponibles.

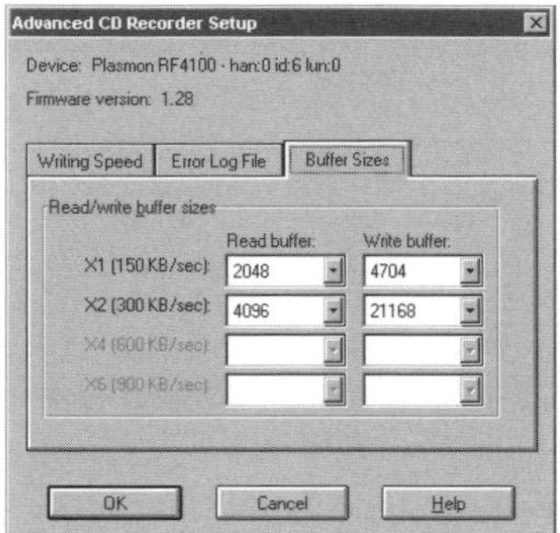

Figure 7.6 : Réglage des buffers.

EVALUATION DES PERFORMANCES DU LECTEUR DE CD-ROM

Si vous souhaitez utiliser un lecteur de CD-ROM installé dans la machine pour réaliser des copies disque à disque, vous devrez aussi tester ce dernier. Procédez à un test de performances du lecteur :

1. Dans le menu Fichier, choisissez l'option System test.
2. Choisissez d'abord l'option Tester le CD-ROM. Le logiciel évalue la rapidité du disque choisi. La vitesse trouvée vous est communiquée, exprimée généralement en kilo-octets par seconde.
3. Adaptez la configuration de votre graveur en fonction de ce résultat. 150 Ko/s ? La copie disque à disque sera impossible. 300 Ko/s ? Vous devriez pouvoir copier en mode 1×. Vous obtenez 600 Ko/s ? Vous devriez pouvoir graver en 2×, etc. Attention : rares sont les lecteurs de CD-ROM capables d'un débit suffisant pour graver en mode copie avec un enregistreur 4×.

Avec ces matériels de gravure, vous devrez probablement réduire vos prétentions et vous en tenir, en ce qui concerne la copie de disque à disque, au mode d'enregistrement 2×. A moins d'acheter un très bon lecteur de CD-ROM.

Ne soyez pas surpris de constater un débit de 900 Ko/s ou moins avec un lecteur 40× (qui devrait fournir un débit de 6 Mo/s en théorie !) : une multitude de facteurs entrent en compte dans le calcul du débit final comme le temps d'accès ou même le type de processeur dédié aux mémoires de masse sur votre carte mère (UDMA 33 ou 66 par exemple).

Sensibilité et stabilité du graveur

Enfin, nous souhaitons attirer votre attention sur l'extrême sensibilité aux chocs de certains matériels de gravure. Certains ne supportent pas la moindre vibration. Avec quelques appareils externes, une imprimante dont l'alimentation vibre pourrait même suffire à interrompre un processus de gravure ! Le graveur est un petit objet fragile qui exige des attentions.

Bref, à part pour les lecteurs internes, évitez à tout prix les endroits exposés à de fortes vibrations et à des modifications de chaleur (radiateur en contrebas, etc.), sans parler des chocs en tout genre.

Heure 8

Graver un CD-R, préparation

Tout est prêt ? Il est donc maintenant temps d'envisager une gravure de CD-R de type CD-ROM. C'est l'application basique : enregistrer un CD-R contenant une application destinée à être lue par tous les PC. Cette application pourra être :

- un logiciel multimédia que vous avez inventé ;
- une copie de tout ou partie d'un disque dur ;
- une copie d'une application que vous souhaitez distribuer.

Préparation du disque à graver

Nous ne nous attarderons pas ici sur la méthode employée pour créer votre application, celle-ci relève d'autres ouvrages concernant une multitude de sujets : multimédia, programmation... Disons simplement que quelque part sur votre PC, se situe une application que vous souhaitez

graver. Quelques petits conseils pratiques ne sont pas inutiles.

Prévoir ce que sera la machine de l'utilisateur

Le premier de ces conseils, c'est de connaître la destination de votre CD-R ! Car le récipiendaire doit être en mesure de le lire. Il faut donc gérer et anticiper les problèmes futurs de compatibilité.

Mon expérience personnelle

On n'écrit pas un ouvrage sur la gravure par hasard. Il faut une petite expérience pour être en mesure de prodiguer de bons conseils ! En effet, les fabricants oublient de traiter les problèmes liés à la distribution dans la documentation qui accompagne les appareils !

J'ai conçu de nombreux CD multimédias édités en librairie ou distribués par magazines. L'expérience m'a enseigné que plus la diffusion d'un disque est étendue, plus les choses se compliquent ! Et je connais mon sujet ! A ce jour, environ cinq cent mille CD industriels ont été gravés d'après mes CD-R...

Disque à destination de la presse

Les CD des magazines, vous connaissez ? Rares seront les utilisateurs confrontés à cette forme d'édition très particulière, mais je peux vous affirmer que ce type de mastering est le plus difficile qui soit ! Entre les CD-R masters gravés en 1994 pour *Génération PC*, ceux de *l'Internet Guide du Web* de 1996, et les derniers produits pour *PC Outils* en 2000, il a coulé pas mal de bits sous les lasers, et il a fallu résoudre de multiples problèmes. Imaginez que, dans ce cas de figure, votre CD-R serve de master pour une duplication à 50 000 ou 100 000 exemplaires ! Imaginez 100 000 utilisateurs avec 100 000 petites particularités ! Ici il faut vraiment prévoir toutes les spécificités, faire du standard à tout prix !

Ces modes standards sont connus :

- mode 1, monosession ;
- structure de fichiers strictement ISO 9660 ;
- applications prévues pour un débit du CD récepteur en mode 2× (300 Ko/s).

Evidemment, ce CD n'est pas le plus rapide : le débit est limité par le protocole de correction d'erreurs, et le mode 2× ne permet pas d'afficher des vidéos plein écran. Mais quand on ne connaît pas la cible, il faut absolument assurer. Le problème de la vitesse étant largement compensé par la modernisation du parc de lecteurs de CD-ROM, qui dépassent couramment aujourd'hui le mode 40×.

Néanmoins, et standardisation de Windows aidant, on observe de plus en plus souvent que les disques livrés avec les magazines PC sont gravés en mode 2×, avec structure de fichiers Joliet : mode 2 pour l'espace disponible, plus vaste, joliet pour la convivialité de l'organisation des répertoires.

Conclusion : pour les très grandes diffusions, il faut se limiter aux spécifications les plus primaires possibles. Pour graver un CD-R lisible partout, adoptez le mode 1 (forcément monosession), et la structure de fichiers ISO 9660 (voir Figure 8.1).

Examinons quand même quelques exemples pratiques !

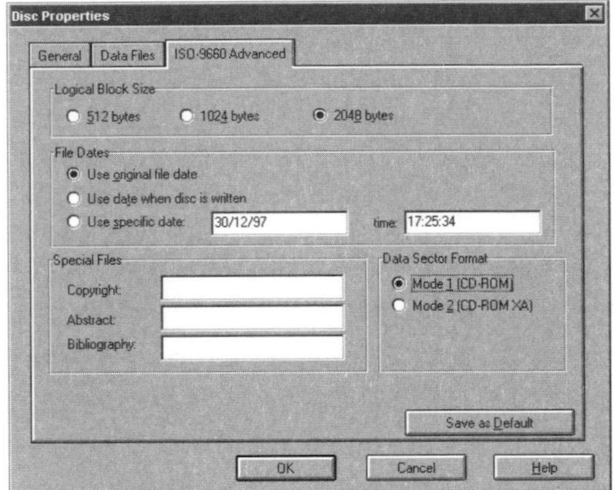

Figure 8.1 : Le standard du CD-R !

Disque utilisant l'image et la vidéo

Prenons pour premier exemple — d'actualité — le CD-ROM du Père Noël, commercialisé à Noël 1996, qui fut, avec son contenu vidéo, l'archétype du CD-R défectueux. Bref résumé du problème : un Père Noël interactif, en vidéo au format AVI (Indeo 4, pour ceux que le sujet intéresse), dialogue avec des enfants qui utilisent une souris.

- A cette époque, le parc est composé en majorité de lecteurs 2×.
- Les PC sont presque tous des Pentium 90.

La liste des dysfonctionnements graves rencontrés sur les masters est la suivante :

- des sons illisibles ;
- des vidéos bloquées ;
- des CD désespérément lents.

Ici, on était au cœur du monde merveilleux du multimédia balbutiant, et des problèmes matériels qui l'accompagnaient avec Windows 3.x et 95 ! Les sons avaient été codés avec trop de précision pour des lecteurs 2× (mode 22 kHz). Il fallut les réduire. Les vidéos manquaient de fluidité, il fallut contrôler leur débit, et les limiter à 150 Ko par seconde. La lenteur des CD était due à une gravure en mode 1 dans un but louable de qualité. Il fallut graver les disques en mode 2 pour supprimer le processus de correction d'erreurs qui ralentissait considérablement la lecture des disques.

Conclusion ? Pour les CD multimédias, faites en sorte que vos disques soient lisibles par les machines les moins chères du marché.

Au 30 août 1998, le CD multimédia idéal fonctionnait sur des PC Pentium 150, équipés de lecteurs 8× ! Ces machines sont encore très nombreuses...

Et, en juillet 2000, nous voilà parvenus au Pentium II GHz, ou au K6 3-600, voire à l'Athlon 1 Go. Ce sont ces PC qu'il faut viser, tout en restant pour le moment compatible avec des machines à 300 MHz qui composent le principal du parc installé. Les heureux détenteurs de machines rapides seront déçus, mais tout le monde pourra utiliser le disque !

Ici, on se soucie moins des problèmes de compatibilité entre mode 1 et mode 2 : c'est le mode 2 que l'on choisit, car tous les acheteurs de machines multimédias sont équipés de lecteurs de bonne qualité et compatibles avec tous les types de CD (modes 1, 2, structure de fichiers MS-DOS, CD-ROM compatibles XA, etc.).

En revanche, côté vidéo, beaucoup de choix, et bien moins de soucis ! Les CD-ROM peuvent désormais contenir des AVI de très haute qualité au format DivX ou AngelPotion, voire présenter un petit niveau de compatibilité avec les lecteurs de DVD *via* le MPEG-1. On n'en est pas encore au DVD-R en MPEG-2 pour tous, mais on en approche !

Nous pouvons en tout cas extraire une règle de cette évolution du marché : le créateur de CD-R à contenu visuel ou multimédia sophistiqué doit toujours conserver un œil sur le marché et les technologies qui sont en train d'émerger !

Disques encyclopédiques et logiciels auteurs

Les problèmes que peut poser un logiciel auteur ne sont pas à proprement parler matériels. Le danger réside dans les logiciels déjà installés : le disque dur d'un utilisateur d'encyclopédie est encombré par une multitude de petits morceaux de fichiers, de pilotes déjà mis en place par d'autres logiciels (Toolbook, Icon Author, Director) parfois livrés dans une ancienne version. Il en va de même avec les pilotes multimédias : les pilotes vidéo DirectX, Indeo, DivX, MPEG-4, par exemple, qui sont déjà présents, mais dans une ancienne version, parfois partiellement compatible avec votre application. La place manque pour développer ce sujet ici, et ces informations feront l'objet d'un autre ouvrage. Disons qu'il faut tout prévoir dans la procédure d'installation incluse avec le CD :

- réinstaller tous les pilotes vidéo, dans la version correspondant à votre application ;
- réinstaller tous les pilotes du logiciel auteur dans la version correspondant à votre outil de développement.

C'est une nécessité liée à l'évolution du marché : dans de nombreux cas, par exemple, DirectX sera déjà installé, mais en version 6 ; or, votre logiciel auteur dernier cri a besoin de DirectX 7 !

Cela nous amène logiquement à l'outil d'installation que vous devez ajouter sur votre CD-R.

Les logiciels auteurs sans pilote

Les logiciels auteurs ne sont plus comme les avions, les meilleurs fonctionnent aujourd'hui sans pilote ! En d'autres termes, ils savent générer un fichier exécutable autonome. C'est le cas de Director ou de Toolbook II et supérieurs : ces outils peuvent désormais créer des applications qui accèdent directement à leurs modules "Runtime" sans avoir à imposer de procédure d'installation. Privilégiez-les, ils limitent considérablement les besoins en support technique de vos utilisateurs qui n'ont plus avec eux qu'à insérer leur CD dans un lecteur pour l'exploiter instantanément.

Processus de création d'un outil d'installation

Que votre CD soit une archive ou une application, s'il doit être distribué, il faut l'équiper d'un petit zeste de convivialité ! Pensez donc à le documenter, c'est le principe basique de l'installation. Un simple fichier "lisezmoi.txt" ou "lisezmoi.doc" suffit le plus souvent à informer le récipiendaire sur le contenu de votre disque. Pour les applications plus sophistiquées, il faudra passer par un outil d'installation. Vous en trouverez en freeware sur certains serveurs Internet :

http://www.jumbo.com

http://www.zdnet.com

CRÉATION DU LAYOUT

La première étape de création consiste à élaborer une structure de fichiers. C'est le *layout*, l'organisation des répertoires du CD. Cette structure est virtuelle. Elle est utilisée par le logiciel de gravure pour construire le CD-R.

Mais elle ne correspond pas à la structure physique du disque dur. Elle est constituée "d'entrées", c'est-à-dire de références qui pointent sur les "vrais" fichiers contenus sur le disque dur.

Vous créerez donc votre CD-R en ouvrant un layout. C'est souvent l'option Open new layout du logiciel qui lance le processus. Une fois le layout ouvert, vous le remplissez de fichiers ou de répertoires :

- Ajoutez-les par glisser-déposer grâce aux fenêtres de Windows, avec Easy CD.
- Prenez-les un par un avec Easy CD Creator (voir Figure 8.2), ou par glisser-déposer.

Vous constatez que le layout ressemble comme un frère à une fenêtre de l'Explorateur de Windows 95. Il représente ce que sera le CD-ROM. Le layout, une fois terminé, peut être enregistré sur disque. Il n'est pas volumineux, puisqu'il ne contient que des "pointeurs" vers les fichiers, et non les fichiers eux-mêmes. Il est modifiable. Vous pourrez y ajouter d'autres fichiers, ou des répertoires, et même en supprimer. Pour l'instant, le layout répond au format de votre système : MS-DOS sous Windows 3.0 ou Joliet sous Windows 9x ou Millennium. Il nous faut maintenant définir quel format il aura sur le CD.

Choix de la norme de structure de fichiers

Dans une optique d'universalité, surtout depuis que Linux occupe du terrain, le système de fichiers sera organisé selon la norme ISO 9660. Dans ce cas de figure, il sera exactement, ou presque, limité à ce que vous pourriez faire avec un disque dur de PC sous DOS ou Windows 3. Vous devrez donc vous cantonner aux caractéristiques décrites ci-contre.

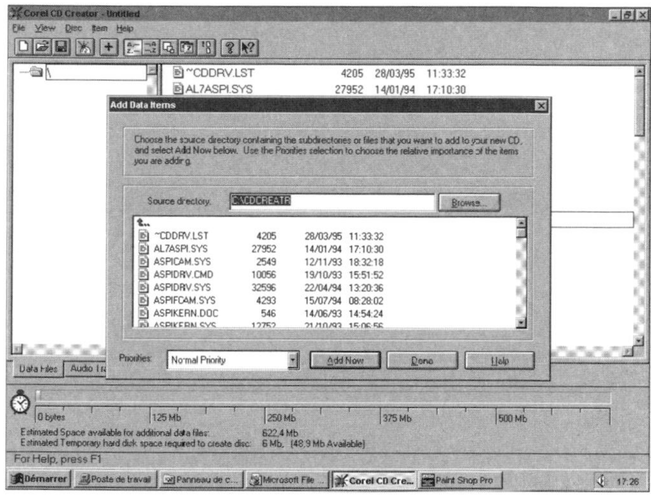

Figure 8.2 : Le choix des fichiers à graver.

- fichiers nommés par des lettres de A à Z et nombres de 0 à 9 ;
- pas plus de huit niveaux de sous-répertoires ;
- structure du nom de type ISO 9660, soit huit lettres, un point, trois lettres.

Les normes ISO "adaptées"

Certains logiciels de gravure vous proposent d'enregistrer des structures de fichiers de type ISO 9660, "adaptées" pour MS-DOS. En clair, elles acceptent en plus de la structure ISO, tous les caractères spéciaux de DOS ($, £, etc.). L'ISO est ou n'est pas ! Si vous choisissez un mode qui n'est pas parfaitement standard, vous risquez de vous retrouver face à des problèmes de compatibilité. Choisissez toujours les "vraies normes" : ISO, MS-DOS, Joliet en fonction de la destination de votre CD.

Voici également, d'autres cas de figure qui justifient l'adoption d'une autre norme que l'ISO 9660 :

- Si vous utilisez Windows 95 et 98, avec des logiciels mis à jour, et supportant donc la norme Joliet (dernières versions de logiciels auteurs, de dessin, d'outils de bureautique), il est possible que vous ayez fait appel à des fichiers utilisant le format Joliet. Dans ce cas, un CD gravé à la norme ISO produira obligatoirement des erreurs de chemin d'accès. Privilégiez, dans ce cas, le Joliet.
- Si votre CD doit fonctionner sur Mac Linux et PC, la norme Joliet risque de poser des problèmes de compatibilité, et la norme Romeo risque de ne pas fonctionner si les noms de fichiers dépassent trente et un caractères : tenez-vous-en donc strictement à la norme ISO 9660.
- Si votre CD doit fonctionner sur la plus vaste gamme de plates-formes possibles, sous DOS, sous Windows 3, sous Windows 95-98, et avec NT, choisissez de préférence la norme ISO 9660, qui prévient tout risque d'erreurs de chemins d'accès.
- En règle générale, plus le CD doit être diffusé, plus il est préférable d'adopter la norme ISO 9660.

Comment prévenir rapidement les erreurs de chemin en ISO ?

Avant de graver votre CD, vous devrez vérifier qu'aucun nom de fichier à la norme Joliet ne sera rendu indisponible par une gravure à la norme ISO 9660. Pour ce faire, tapez dans une fenêtre DOS la commande :

```
Dir *.* /S /P
```

et observez tous les noms de fichiers. Si l'un d'entre eux se termine par des caractères du type "~1", il est possible qu'il occasionne des erreurs de chemin d'accès et doit donc être contrôlé.

Et le tout-Joliet, c'est pour quand ?

Tous ces conseils sont, reconnaissons-le, plutôt "intégristes", et pour le moins limitatifs. L'ISO 9660 comme principe de compatibilité universelle, soit, mais la norme Joliet, telle qu'édictée par Microsoft, est d'ores et déjà le véritable standard de structure de fichiers sur tous les CD. La diffusion progressive du PC, de Windows 95 puis de Windows 98, de Windows NT, et l'adoption dans toutes les nouvelles versions de logiciel de ce système de noms longs (c'est le cas dans Windows 2000 et dans Millennium) feront rapidement et totalement disparaître les risques d'incompatibilité et d'erreurs de noms de chemins. Même un CD lu sous Linux peut aujourd'hui fonctionner en Joliet ! En revanche, il existe un problème d'intolérance entre les noms de fichiers sous Linux (qui gère la différence entre majuscules et minuscules) et ceux de Windows 9x et supérieur qui peuvent accéder à un nom de fichier long sans faire de distinction entre majuscules et minuscules (bien que les lettres soient différenciées dans les répertoires de Windows, comme sous Linux). En clair :

- Windows reconnaît le nom de fichier *fichier_long.ext* même si vous saisissez *FICHIER_long.eXt* ou strictement *fichier_long.ext.*
- Alors que Linux ne peut accéder au même fichier enregistré sous la forme *fichier_long.ext* que par la commande *fichier_long.ext.*

C'est en ce sens que l'ISO 9660 persiste à limiter les risques d'incompatibilité. Pour finir, sachez que quasiment tous les logiciels de qualité actuellement commercialisés utilisent la norme Joliet, y compris les fichiers compressés diffusés sur Internet (bien qu'il reste encore quelques fichiers comprimés avec d'anciens compresseurs ISO).

Pour les néophytes...

Ne confondez pas "Image ISO" et structure de "fichier ISO" : ISO signifie International Standard Organisation, *un groupe chargé de normaliser un certain nombre de processus industriels. Voilà pourquoi le signe ISO est présent ou encadre des activités dans des milieux très différents : l'ISO peut aussi bien décrire la méthode employée pour conditionner un yogourt que pour décrire le format d'un fichier !*

Optimisation de pistes

Le layout est, en théorie, gravé dans l'ordre d'apparition des fichiers. En pratique, il est possible de modifier cette hiérarchie de copie. C'est la notion "d'optimisation du temps d'accès".

Cette optimisation fait référence à un principe simple : le disque, lorsqu'il est lu par le lecteur de CD-ROM, tourne en permanence à une vitesse constante.

Le disque étant rond, le bord extérieur tourne plus vite que le bord intérieur.

Un fichier stocké sur le bord extérieur est donc plus rapidement chargé qu'un disque stocké sur le bord intérieur.

Relativisons : cette propriété n'apporte un réel gain que sur les lecteurs de CD-ROM 2×, 4× ou 8×. L'optimisation de fichier a très peu d'influence sur les lecteurs récents à 40× : même lorsqu'ils sont très lents, leur vitesse minimale d'accès aux données descend rarement sous les 15 à 20×, ce qui est suffisant pour accéder à la quasi-totalité des applications. Il existe néanmoins un grand nombre de lecteurs 8× ou 4× dans le parc installé, autant prévoir leur existence !

Cette propriété, nous allons l'exploiter pour accélérer le chargement de certains fichiers : nous graverons ces derniers en début de piste, c'est-à-dire sur le bord extérieur. Simple, non ? Cette propriété est à réserver de préférence :

- aux fichiers vidéo ;
- aux séquences sonores Wav ;
- aux programmes qui doivent être chargés rapidement ;
- en règle générale, à ce qui doit être exécuté ou chargé le plus vite possible.

Comment ça marche ? Pour optimiser la vitesse des fichiers, il faut leur attribuer dans le layout la propriété Fastest access ("l'accès le plus rapide"), ou Faster access ("l'accès le plus rapide possible"). Grâce à ces attributs, les fichiers seront gravés selon leurs propriétés, dans l'ordre suivant, à partir de l'extérieur du disque :

- Fastest Access ;
- Faster Access ;
- tous les autres fichiers.

Avec Easy CD Creator vous utiliserez la fonction automatique : accessible depuis le menu Fichier, option Propriétés de la structure du CD, onglet Paramètres des données. Vous décocherez la case Conserver l'organisation normale

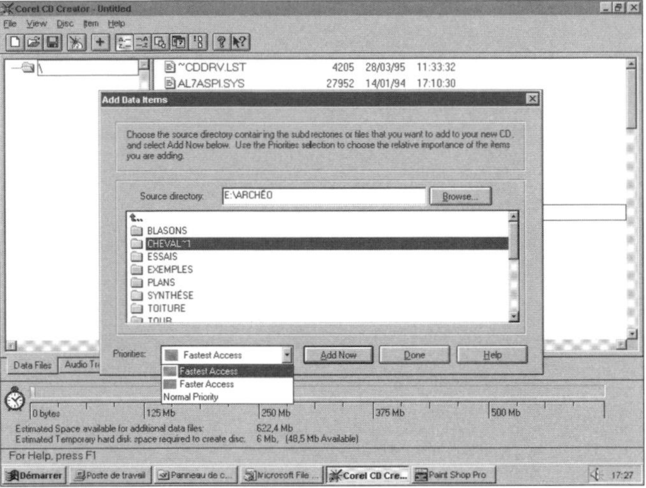

Figure 8.3 : Les possibilités d'optimisation de vitesse.

des fichiers ; sous des logiciels plus anciens, tels que CD Creator, la propriété Fastest.

Dans d'autres programmes, vous pourrez peut-être modifier directement les propriétés d'accès d'un fichier en déroulant un menu avec le bouton droit de la souris, au-dessus de l'icône du fichier ou du répertoire à accélérer, puis en validant l'option Fastest access.

C'est fait ? Le fichier ou le répertoire accéléré est désormais marqué par un symbole de couleur. Notre disque est presque prêt.

Pour "forcer" la présence d'un fichier sur le bord extérieur

Les menus d'ajout de fichiers au layout d'un futur CD-R offrent tous des possibilités d'amélioration de la vitesse. Ils exploitent pour y parvenir la plus grande

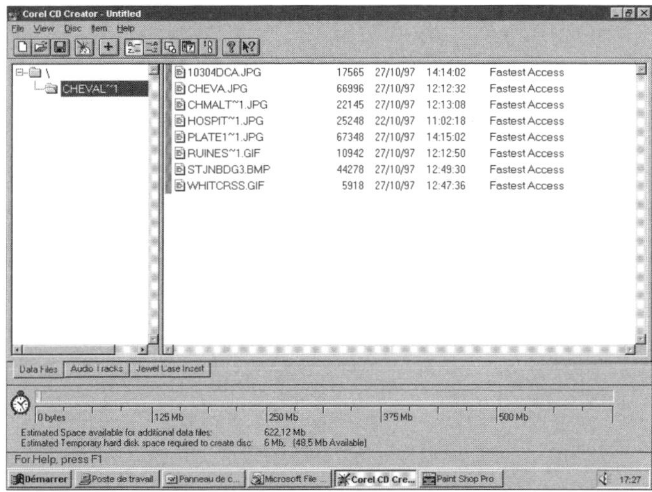

Figure 8.4 : Une fois la propriété attribuée, observez les marqueurs de couleur des fichiers accélérés dans la fenêtre du layout.

rapidité du bord extérieur d'un CD-ROM. Pour "forcer" la présence d'un fichier sur le bord extérieur, il suffit d'y affecter la propriété Faster access (option d'Easy CD Creator).

Heure 9

Paramétrage du logiciel de gravure

Nous sommes prêts à graver le CD-R. Ce qu'il faut maintenant, c'est configurer le logiciel en utilisant l'un des innombrables modes proposés ! Tout est configurable, paramétrable, bref, vous aurez le choix !

Les options du logiciel de gravure

C'est ici que tout ce que nous avons étudié au début de cet ouvrage, entre autres sur les types et les modes des CD-ROM, va être appliqué. En effet, la création de la structure du disque n'a rien à voir avec le format de ce dernier. En quelques mots, nous possédons une liste de fichiers et de programmes, il nous faut maintenant choisir avec quel format le logiciel va les graver.

Le système de fichiers

Nous avons parlé dans la section précédente du système de fichiers. Voici les propositions auxquelles vous devrez faire face :

- **Tous les noms de fichiers MS-DOS sont valides.** Le système de fichiers est de type "MS-DOS", acceptant les caractères spéciaux (lire ci-avant).
- **Restriction à la norme ISO 9660.** Le système de fichiers est strictement ISO. C'est ce que nous recommandons.
- **Tous les noms de fichiers Joliet sont valides.** Le système de fichiers est compatible avec Windows 95 et 98, et les noms longs peuvent être utilisés.

L'ISO avancé et les dates

En mode ISO avancé, il pourra vous être proposé de créer des "fichiers de documentation" du disque. Ces fichiers consistent en une notice sur le copyright, une autre sur le contenu, et un index bibliographique. Ces informations complémentaires ne sont pas strictement ISO, et nous vous déconseillons de les utiliser autrement qu'en vue d'un emploi pour un système d'archivage interne (celui d'une entreprise, par exemple).

- **Copyright.** Valide la présence dans le système d'une notice de copyright.
- **Abstract.** Valide la présence d'une notice sur le disque.
- **Bibliography.** Valide la présence d'une bibliographie.

Si, malgré tout, vous adoptez ces dispositifs, vous devrez fournir au logiciel de gravure les références des fichiers (de type texte ASCII, avec extension en .txt) contenant les informations (voir Figure 9.1).

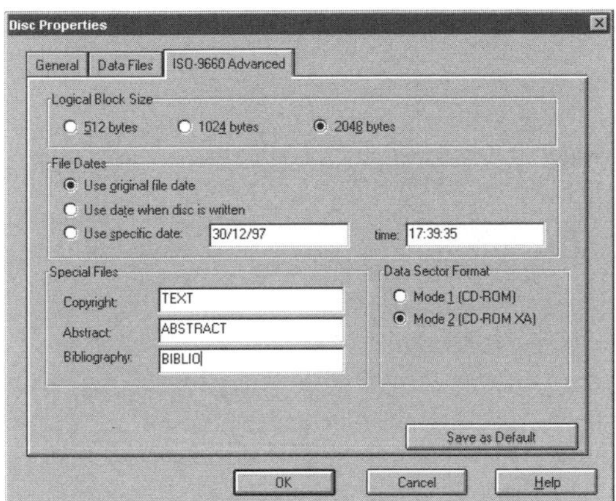

Figure 9.1 : L'ISO avancé.

Evitez le mode ISO avancé

Le mode ISO avancé n'est pas forcément compatible avec votre lecteur de CD-ROM et peut gravement affecter l'accès de l'utilisateur à votre CD-R !

Les dates

Vous pouvez adopter divers types de dates pour les fichiers à graver, indépendamment de celles déjà affectées par le système. Parmi les options proposées, vous pouvez :

- **Utiliser les dates originales des fichiers.** Celles de leur création ou de leur dernière modification.
- **Forcer l'attribution de date d'écriture du disque.** C'est l'heure système qui est utilisée, prise au début du processus d'enregistrement.
- **Utiliser une date et une heure factices.** Vous spécifiez l'heure et la date qui vous conviennent.

Ici, pas de recommandation, faites comme il vous plaît !

File Dates
- Use original file date
- Use date when disc is written
- Use specific date: 12/10/00 time: 17:28:37

Figure 9.2 : La date que vous choisirez.

Gravure d'un prototype

Pour graver un prototype, il est parfois préférable de choisir de "forcer une date" pour tous les fichiers : la date et l'heure de gravure, par exemple. Ce sera par la suite le meilleur moyen d'identifier une version de CD-R.

Titre du disque et nom de volume

Vous pourrez aussi remplir des informations concernant le nom de volume du disque et diverses références propres aux logiciels.

- **Titre du disque et nom de l'artiste.** Ces options, souvent proposées, ne sont pas reproduites sur le disque. Elles sont souvent utilisées par le logiciel pour créer les pochettes de boîtiers cristal (lire l'Heure 11 sur ce sujet).
- **Label du volume.** Seuls les onze premiers caractères sont reconnus et affichés par MS-DOS ou Windows. Ils représentent le nom affiché en haut de l'écran lorsque vous tapez la commande "DIR".

Ici aussi, faites ce qu'il vous plaît !

Taille logique des blocs

La plupart des logiciels de gravure autorisent la modification de la taille des blocs ou secteurs. Chaque piste est, en effet, décomposée en blocs d'une taille fixe. La norme, telle qu'elle est édictée par le *Yellow Book*, consiste en des blocs d'une taille de 2 048 octets. Les logiciels permettront souvent de modifier cette taille standard. Les tailles les plus courantes sont :

- secteurs de 512 octets ;
- secteurs de 1 024 octets ;
- secteurs de 2 048 octets.

Cette possibilité de réduction de taille des secteurs est prévue pour les CD-R devant contenir une multitude de petits fichiers dont la taille est inférieure à 2 048 octets. Cas peu courant. C'est surtout une option dangereuse, car toutes les plates-formes ne supportent pas forcément des secteurs s'éloignant de la taille définie par le *Yellow Book*.

En conclusion, adoptez donc toujours une taille de secteurs standard de 2 048 octets.

Figure 9.3 : Le bon format de secteur.

Le format de secteur standard

Le format de secteurs standard est 2 048 octets. Malgré toutes les options des logiciels, tenez-vous-en toujours à ce paramètre strictement compatible avec tous les ordinateurs et leurs lecteurs de CD-ROM.

Mode 1 ou mode 2 ?

Vous pouvez ensuite graver des CD-R en adoptant les modes 1 ou 2. Par défaut, la plupart des logiciels gravent en mode 1. La différence entre modes 1 et 2 réside

essentiellement dans la possibilité de supporter le mode multisession (mode 2), et dans la mise en place d'un protocole de correction d'erreurs (mode 1). Sachez que :

- Le protocole de correction d'erreurs du mode 1 diminue l'espace disponible pour vos données sur le CD-R.
- Ce même protocole ralentit d'environ 20 % la lecture des données par rapport au mode 2.
- Les CD en mode 2 n'ont pas de protocole de correction d'erreurs, mais les lecteurs actuels sont assez fiables pour que cette absence ne pose aucun problème.

Sachez, par ailleurs, que seuls quelques très rares anciens lecteurs de CD-ROM ne sont compatibles qu'avec le mode 1. Presque tous les lecteurs qui équipent nos PC sont compatibles avec le mode 1 et le mode 2.

En quelques mots, disons que :

- Si vous souhaitez créer un disque monosession lisible par tous les lecteurs de CD-ROM du marché, vous utiliserez le mode 1.
- Si vous souhaitez créer un disque performant, compatible avec tous les lecteurs de CD qui équipent les Pentium, les 486, et en règle générale tous les PC commercialisés depuis quatre ans, vous adopterez le mode 2. Vous m'avez compris...

En conclusion : adoptez toujours le mode 2, sauf pour les CD qui doivent vraiment être universels.

Quelques précisions sur la norme XA

La norme XA est typiquement celle des PC multimédias : la synchronisation des pistes sonores avec les données offre des possibilités de développement insoupçonnées. Contrepartie, les CD répondant à la norme XA requièrent de la part du lecteur que ce dernier soit compatible XA.

Cette compatibilité consiste en un jeu de microprocesseurs chargés de décompresser plus rapidement les pistes sonores. A l'heure où nous écrivons ces lignes, tous les lecteurs de CD-ROM de nos PC sont compatibles XA. Sachez que la lecture de disques répondant au format Photo-CD de Kodak implique la présence d'un lecteur de CD-ROM compatible avec la norme XA.

En règle générale, les logiciels ne permettent pas de spécifier la norme XA. Ils se contentent d'attribuer au mode 1 la qualité de CD-ROM, et au mode 2 la qualité de CD-ROM XA.

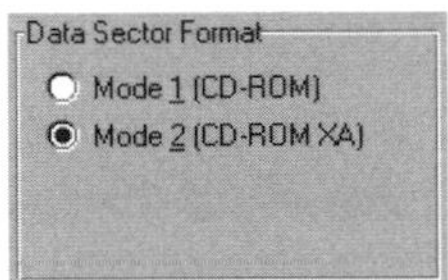

Figure 9.4 : Modes 1 et 2.

Les logiciels ne permettent pas de spécifier la norme XA

En règle générale, les logiciels ne permettent pas de spécifier la norme XA. Ils se contentent d'attribuer au mode 1 la qualité de CD-ROM, et au mode 2 la qualité de CD-ROM XA. Le mode 2 produit des CD plus rapides que le mode 1 en supprimant le dispositif de corrections d'erreurs.

Multisession ou non ?

Vous n'aurez pas, à proprement parler, la possibilité de choisir le mode multisession. Votre disque sera automatiquement multisession, à partir du moment où il sera gravé en mode 2. Si vous souhaitez graver un disque avec

une seule session (c'est souvent le cas), vous pouvez utiliser le mode 2 et cocher la case Protection contre l'écriture.

Monosession

A l'inverse du mode 2, le mode 1 est forcément monosession.

A quoi servira le mode 1, monosession ? A ajouter des fichiers à un CD-R déjà gravé, et donc à utiliser ce dernier au maximum de ses capacités. C'est une première application. Le mode multisession servira aussi à créer des CD mixtes, c'est-à-dire contenant à la fois des données numériques et CD audio. C'est le principe du CD-Extra.

Faire en sorte qu'un CD-ROM contienne à la fois des données et de la musique n'est pas très compliqué. Il suffit de créer une première session contenant des pistes sonores, suivie d'une seconde session contenant des données numériques.

Pistes sonores

Le lecteur de CD de salon lit forcément la première session. Les pistes sonores doivent donc être inscrites en session 1 pour être reconnues.

Créer un CD multisession avec Easy CD Creator

Voici comment créer un CD multisession avec Easy CD Creator :

1. Ecrivez la première session en mode 2, comme si vous écriviez un CD de données.
2. Pour ajouter une nouvelle session, remettez le disque dans le lecteur, et ouvrez le layout de la première

session, ou créez-en une nouvelle. Ajoutez les nouveaux fichiers au layout.

3. Il existe deux méthodes pour lier les nouveaux fichiers à l'ancienne session. Pour la première, sélectionnez Importer automatiquement la session précédente. Toutes les tables de fichiers de la session précédente seront ajoutées à la nouvelle. Pour la seconde, moins conviviale, mais plus performante, sélectionnez Importer une session, qui affichera toutes les sessions enregistrées sur le disque. Il ne reste qu'à choisir les sessions à lier.
4. Lancez l'enregistrement du disque.

Créer un CD multisession avec Easy CD Pro

Pour créer un CD multisession avec Easy CD Pro, respectez ces consignes :

1. Ecrivez votre première session en mode 2, mais ne cochez pas la case Fermer le disque ou Close disc.
2. Sauvez le layout.
3. Pour ajouter une session, remettez le disque dans le lecteur.
4. Pour remplacer les anciennes données par de nouvelles, sélectionnez le menu File, New, Multisession CD-ROM, et écrivez la nouvelle session.
5. Pour lier une nouvelle session à une ancienne, sélectionnez l'option Load the last complete track, if present. Toutes les données que vous ajouterez seront alors liées à l'ancienne session.
6. Cliquez sur enregistrer, c'est tout.

Recyclage de CD-R

Si vous recyclez des CD-R en gravant sur eux plusieurs sessions, n'oubliez pas que les anciennes ne sont pas détruites, y compris si vous ne reprenez pas les tables de fichiers de l'ancienne session dans la nouvelle. Conséquence ? Ce que vous avez gravé dans les anciennes sessions sera accessible à l'utilisateur auquel vous donnez le CD-R regravé. Et si les données "oubliées" sont confidentielles, c'est quand même ennuyeux...

Piste simple, piste multiple et image ISO

Reste à configurer la méthode d'écriture. Il existe deux possibilités :

- l'écriture fichier par fichier sur plusieurs pistes ;
- l'écriture en une fois, sur une seule piste.

En règle générale, c'est l'écriture en une seule fois sur une seule piste qui doit être utilisée : c'est la notion d'image ISO. Ce mode a des avantages et des inconvénients :

- Il vous oblige à créer sur le disque dur une image du contenu du CD-ROM. Voilà pourquoi on parle d'image ISO. Il faut donc beaucoup d'espace disque disponible.
- Une fois cette image créée, il suffit au logiciel de la graver sans réfléchir. Les risques d'erreurs sont donc considérablement réduits.
- Le CD gravé en une seule piste est très proche du CD pressé industriellement et donc de très bonne qualité.
- Hormis la création de l'image, le processus de gravure est très rapide, et donc parfaitement adapté à une copie en série.

Vous comprendrez que la gravure sur une seule piste, ou par image ISO, recueille, et de loin, nos suffrages. Examinons tout de même le mode piste à piste, ou fichier par fichier :

- Pas besoin avec ce mode de créer d'image, donc le processus de gravure démarre immédiatement.
- L'espace disque dur indispensable à la copie est réduit au strict minimum. En général 6 Mo suffisent.
- La gravure prend plus de temps, le flux est moins bien préservé, les risques d'erreurs sont donc plus importants.
- La décomposition en pistes prend de la place, et la capacité du CD-R est donc réduite.

Le décor est posé, à vous de voir, de choisir, et d'essayer ! Sommes-nous prêts à graver ? Oui, à quelques détails près...

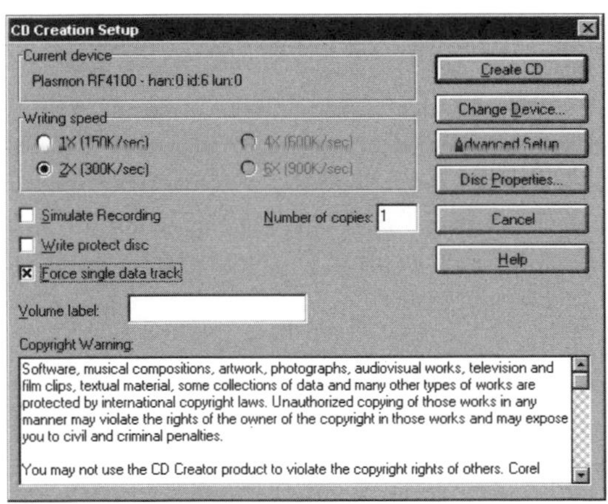

Figure 9.5 : Adoptez le bon mode d'enregistrement.

Le bon mode d'enregistrement
Si la taille de votre disque dur le permet, adoptez le mode Single Data Track, ou image ISO, dans la majorité des cas (voir Figure 9.5). Il économise de la place sur le CD-R, et évite bon nombre d'erreurs de gravure.

PROTECTION EN ÉCRITURE ET GRAVURE...

Si vous souhaitez graver le disque définitivement, cliquez sur Write protect Disc, aucune session ne pourra plus être ajoutée.

Si vous souhaitez éviter de gâcher des CD-R, lancez une "simulation d'enregistrement". Le graveur vérifie que la procédure d'inscription ne génère pas d'erreur. L'opération n'altère pas le CD-R, qui reste vierge.

En ce qui me concerne, je grave à volonté sans vérifier lorsque je suis pressé et qu'on me fournit les CD-R... Et je vérifie systématiquement lorsque je paye les disques ! C'est immoral ! Mais humain...

Tout est prêt ? Tout va bien ? Cliquez sur Create CD. En moins d'une heure le tour est joué !

Heure 10

Après les données, les sons

Le CD audio répond à des normes et à des spécifications. Exactement comme un CD-ROM. Ces normes décrivent l'organisation des pistes musicales, et la façon dont sont stockées leurs données.

LA PROBLÉMATIQUE DE LA GRAVURE DE CD AUDIO

En quelques mots, et à titre d'information, la musique est stockée sur un CD audio selon les spécifications suivantes :

- La musique est stockée pour être lisible en mode 1×.
- Les données sur un CD audio sont divisées en blocs ou secteurs de 2 352 octets.
- Chaque seconde de musique occupe 176 400 octets.
- Chacun des secteurs est composé de 98 fenêtres.

- Chaque fenêtre est constituée de 24 octets de données, contenant, entre autres, six "échantillons" stéréo codés en 16 bits.

Toutefois, ce qui nous intéresse au premier chef, c'est qu'un son codé sur un CD audio correspond à un enregistrement en mode 16 bits, stéréo, 44 kHz, ce qui représente la capacité optimale d'acquisition d'un PC équipé d'une carte son. Côté quantité, sachez aussi que vous pourrez enregistrer de la musique à concurrence de la durée du CD (moins quelques mégaoctets réservés par le système d'organisation), et que le nombre de morceaux ne sera pas *a priori* limité : 30, 40, 60 ? Pas de problème : c'est possible !

Partant de ces quelques informations, nous pourrons donc avec un graveur créer des CD audio en récupérant les données sonores :

- d'un CD audio ;
- contenues dans des fichiers .wav ;
- d'une source sonore reliée à la carte son du PC.

Dans ce dernier cas, la source sonore pourra être aussi bien un disque vinyle qu'une bande 8 mm, une cassette DAT, ou toute autre forme de source reliée à la carte.

Quelles sont les difficultés à résoudre pour graver un CD audio ?

- Nous devrons graver un fichier sonore de la meilleure qualité possible pour bénéficier au maximum des potentiels du support.
- Si les sons sont de mauvaise qualité, provenant d'un disque vinyle par exemple, nous devrons les améliorer.
- Nous devrons récupérer et organiser les fichiers son.

Sachant tout cela, il ne nous reste plus qu'à étudier comment on récupère les sons, comment on grave les données, et comment on les écoute (ce que vous n'ignorez sans doute pas).

D'un disque à un autre

La plus simple des copies est celle qui va d'un CD à un CD-R. Les outils de création sophistiqués sont rarement capables de réaliser de telles opérations ; à l'exception du module Spin Doctor, livré avec Easy CD Creator Deluxe.

Une telle copie sera néanmoins possible en utilisant un logiciel de copie piste à piste, tel que CD Copier d'Adaptec. Avantage de cet outil : vous n'avez plus besoin d'être équipé de lecteurs de CD supportant l'extraction digitale.

Le CD audio, copié avec Easy CD Creator

Pour des copies plus sophistiquées, avec édition et organisation des pistes, c'est plus délicat ! La première étape importante consiste en une récupération des séquences sonores. Plusieurs cas de figure vont se présenter à nous : les options choisies dépendront de la forme que prend la source originale que nous souhaiterons reproduire.

Sachez qu'une minute d'enregistrement occupe environ 10 Mo sur le disque. Il n'est pas bon de diminuer la qualité des fichiers pour réduire l'espace qu'ils occupent : le confort d'écoute, sur votre lecteur de CD s'en ressentirait bien trop. Prévoyez donc de l'espace : 700 Mo pour un disque de 70 minutes.

Récupération des données

Le mode de récupération des données varie en fonction de leur origine.

D'un CD audio

La récupération des pistes sonores d'un CD audio porte un nom, c'est l'extraction digitale (*digital extraction*). Elle consiste en une récupération numérique des données sonores d'un CD, à l'inverse de la récupération analogique qui transite par une carte son.

Attention, tous les lecteurs de CD-ROM, ainsi que les graveurs, ne sont pas forcément capables de réaliser l'extraction audio. Si votre lecteur est dans ce cas, vous serez confronté à une impossibilité, et il vous sera vivement conseillé d'en changer pour un appareil plus récent et compatible.

Par ailleurs, tous les logiciels de création de CD audio ne sont pas forcément munis d'utilitaires d'extraction digitale. Bigre ! Pas de panique, de nombreux utilitaires sont disponibles en freeware. Vous pourrez, entre autres, télécharger des logiciels d'extraction digitale à l'adresse : **http://www.tardis.ed.ac.uk/~psyche/cdda/**.

Les utilitaires proposés à cette adresse récupèrent les données sonores et les transforment en fichier au format .wav, que vous pourrez ensuite réutiliser dans un logiciel de gravure. Sinon, vous pourrez utiliser les possibilités de logiciels spécialisés tels que Spin Doctor, livré avec Easy CD Creator Deluxe.

En ce qui concerne le logiciel Easy CD Creator, que nous utiliserons pour cette démonstration, il permet sans difficulté d'extraire des données audio. Il suffira, lors de la création du layout, d'insérer un disque dans le lecteur, de

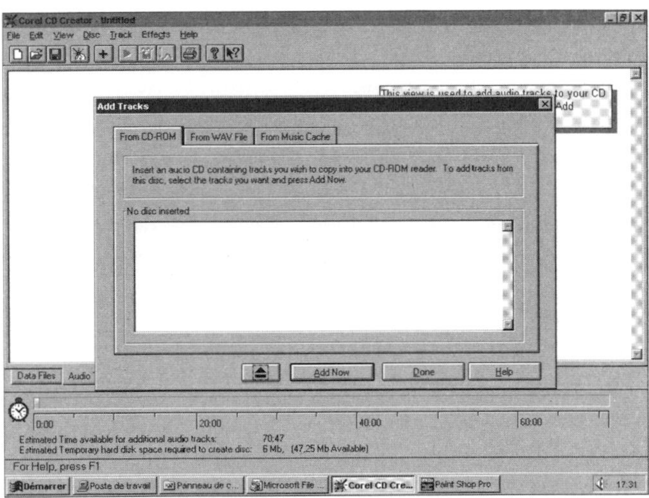

Figure 10.1 : Extraire des pistes audio.

demander l'ajout d'une séquence (bouton "+"), et d'extraire. Attention, les données récupérées seront copiées dans le "cache musical", situé sur le disque dur, qui devra donc être d'une taille suffisante.

Le moyen le plus simple

L'extraction de données audio directement d'un CD est le moyen le plus efficace pour copier un CD audio en préservant la qualité de l'original. L'opération est très simple avec Easy CD Creator : il suffit d'insérer le disque dans un lecteur compatible Digital Extraction et d'ajouter la piste au layout (voir Figure 10.1).

D'un périphérique relié à la carte son

La récupération de données issues d'une carte son permet de reprendre à peu près tout ce qui peut exister. Le contenu de disques, de cassettes, de bandes DAT, etc. Pour les récupérer, vous utiliserez le plus simplement du monde l'enregistreur standard de Windows 95 ou l'un des innombrables sharewares proposés sur le marché (celui livré avec votre carte son, par exemple).

Attention, pensez bien à enregistrer chaque séquence dans un fichier différent, sinon vous serez dans l'impossibilité d'organiser vos pistes comme bon vous semble. Le paramétrage de la qualité de récupération sera équivalent à ce qui est enregistré sur un CD : 16 bits, stéréo, 44 kHz (voir Figure 10.2).

Données d'un fichier .wav

Les fichiers .wav déjà existants pourront, eux aussi, être gravés sans difficulté. Pas de précision particulière ici : les fichiers existent déjà.

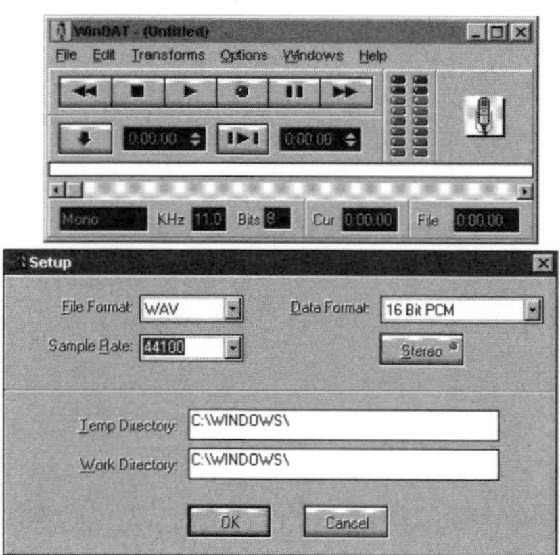

Figure 10.2 : Adoptez le bon mode de digitalisation.

Un format gourmand
Pensez bien à digitaliser les fichiers en mode 16 bits, stéréo, 44 kHz, si vous souhaitez exploiter toutes les possibilités des CD audio. Mais ce format est gourmand en espace disque.

Améliorer la qualité des données

Les données qui sont maintenant sur votre disque dur ne sont pas forcément de bonne qualité. Vieux disques, mauvais enregistrement, les sources de "parasitage" ne manquent pas. Vous allez devoir les améliorer avec des logiciels d'édition sonore. Ils sont plutôt nombreux sur le marché. Quelques recommandations :

- Les cliquetis et les bruits de déchirement sont situés dans les fréquences aiguës. C'est en agissant sur ces dernières que vous réduirez le bruit de fond.
- Le *loudness,* qui améliore le "volume spatial" du son, peut être appliqué automatiquement aux données sonores par certains utilitaires tels que Turtle Tools.
- N'oubliez pas de supprimer les blancs, qui consomment de l'espace inutile. Par défaut, les enregistreurs mettent des pauses entre les pistes.

Préparer un layout de CD audio

Vos fichiers au format Wav sont-ils tous sur le disque ? La dernière étape, la plus importante, c'est la préparation du layout. Elle consiste en une préparation d'une structure de répertoires, comme pour un CD-ROM. La différence ici est que nous ne parlons pas d'un CD-ROM répondant au *Yellow Book,* avec son système ISO 9660. Dans le cas du disque audio, c'est une structure répondant aux données

du *Red Book* que nous allons créer : cette dernière sera ainsi lisible et compréhensible par un lecteur de salon.

Première étape donc, créer un layout, exactement comme pour le CD-ROM. Ici encore nous utiliserons Easy CD Creator, mais la plupart des autres logiciels reprennent les mêmes modes de fonctionnement et libellés de menus.

Cliquez dans le menu fichier sur New CD layout, mais cette fois validez l'onglet Audio Tracks (voir Figure 10.3). Nous devrons ensuite enregistrer nos pistes :

- Ajoutez vos pistes au disque en cliquant chaque fois sur "+" : avec l'onglet From CD audio pour récupérer la piste d'un CD que vous aurez inséré dans le lecteur, et avec celui From Wav file, pour récupérer un fichier enregistré sur le disque.
- Les pistes sont affichées dans leur ordre de lecture. Pour changer cette organisation, faites glisser les pistes à l'aide de la souris d'un endroit à l'autre de la fenêtre, jusqu'à obtenir l'ordre recherché.
- Pour dupliquer un morceau, vous pouvez agir par copier-coller.
- Pour écouter le contenu d'une piste, cliquez sur le bouton Lecture.

C'est prêt ? En route pour la gravure !

Un ordre à vos ordres

Le layout du CD audio contient toutes les pistes à graver sur un CD-R. Ici, les pistes au format Wav cohabiteront avec les pistes extraites directement. Vous pouvez organiser votre disque comme bon vous semble. Idéal pour gérer l'ordre des futures "compiles" !

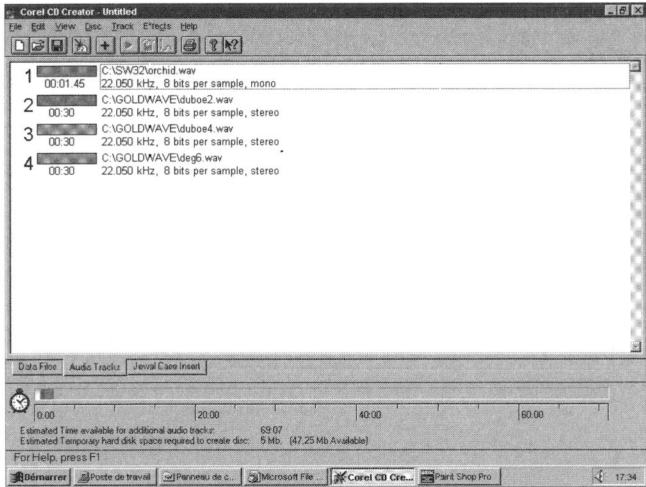

Figure 10.3 : Le layout du CD audio.

Graver puis écouter !

La gravure d'un CD audio doit répondre aux spécifications du *Red Book* : mode 1. Pour enregistrer le disque que vous venez de créer, suivez ces étapes :

- Restez dans la fenêtre de layout du disque audio.
- Choisissez depuis le menu Fichier, l'option Créer un CD depuis le layout (Create a CD from layout).
- Dans la boîte de dialogue Setup du CD, choisissez les options par défaut. Pas de problème ici, toutes les options inutiles sont désactivées : c'est le cas des pistes uniques et du mode de protection du disque, par exemple.

C'est parti ! Dans quelques minutes, vous pourrez écouter votre disque ! Cette solution est souple et performante. Il en existe d'autres. En effet, pendant longtemps, il n'existait pas de logiciels simples et conviviaux pour créer des CD audio. Cette opération particulière méritait pourtant bien un logiciel dédié. Besoin comblé avec le module "Spin Doctor", désormais livré avec Easy CD Creator. Ce dernier a pour principal avantage de régler tous les problèmes de duplication de son. Il extrait ou digitalise les sons, les embellit et, le cas échéant, les organise, et grave le CD, presque automatiquement. Que demander de plus ?

Graver un disque audio avec Spin Doctor

Vous aurez besoin ici d'une carte son de très bonne qualité (au moins 16 bits). L'enregistrement sera rapide : 30 secondes par minute de musique sur un lecteur 2×, par exemple, avec l'extraction digitale.

L'interface de ce logiciel, livrée avec Easy CD Creator Deluxe est remarquable. Elle est décomposée en étapes intuitives :

- **Etape 1, sélectionnez votre source musicale.** Disque vinyle, cassette, CD, fichiers sur le disque dur (voir Figure 10.4), etc. Assurez-vous que cette source est de la meilleure qualité possible. En cas d'acquisition, les résultats varieront en fonction de la qualité de la carte son. Dans tous les cas, l'objectif doit être d'enregistrer en préservant au maximum la fidélité du son. Pas de scratch et autres. Au besoin, nettoyez votre disque vinyle.
- **Etape 2, sélectionnez l'option d'enregistrement.** C'est ici que commence la récupération du son (voir Figure 10.5). C'est ici aussi que vous appliquerez certains filtres d'amélioration de qualité : Nettoyage, Loudness.

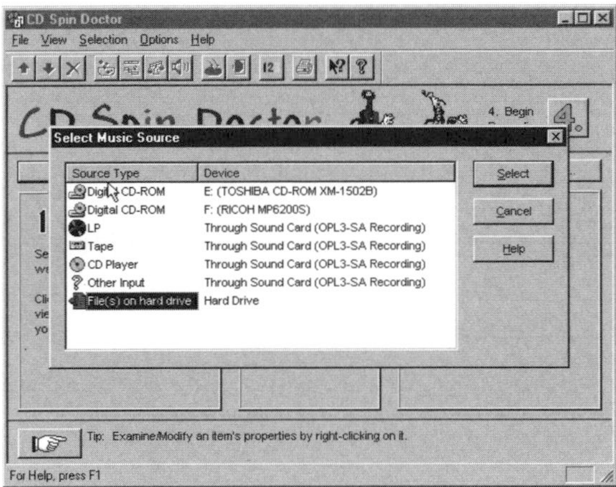

Figure 10.4 : Spin Doctor, acquisition.

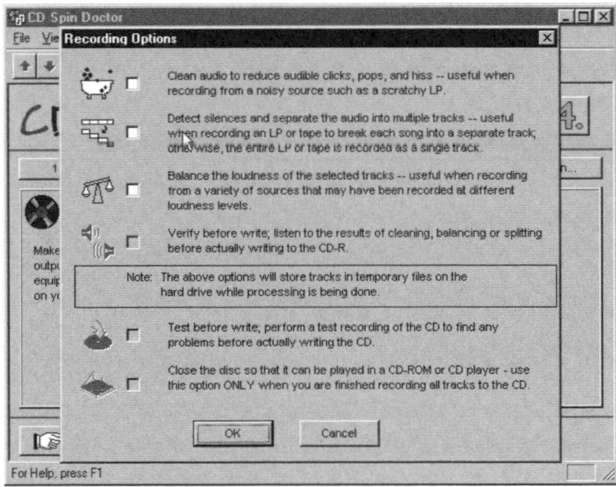

Figure 10.5 : Spin Doctor, nettoyage.

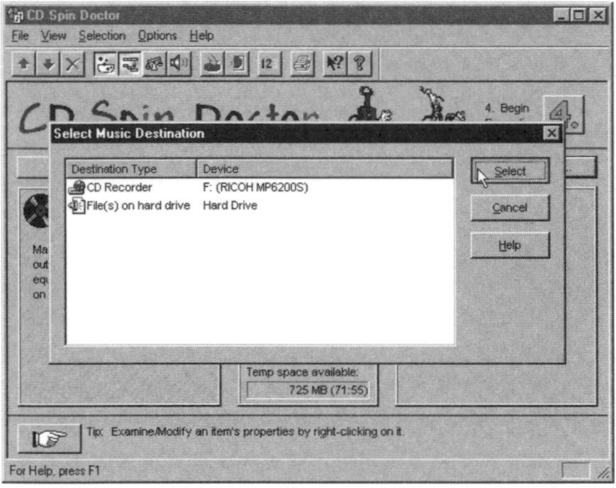

Figure 10.6 : Spin Doctor, destination.

- **Etape 3, sélectionnez la destination de la musique.** Stockage sur un disque dur pour gravures multiples et ultérieures, ou enregistrement immédiat sur le CD-R (voir Figure 10.6).
- **Dernière étape : enregistrez.** Il ne reste plus qu'à attendre... avant d'écouter ! Reconnaissez qu'il est difficile de faire plus simple (voir Figure 10.7).

Exploiter le CD-Text pour les compilations

Il nous a semblé intéressant de clore cette partie par une mise en pratique avec ce format de CD en voie de standardisation : le CD-Text. Ce modèle de disque permet, en effet, de graver un disque audio dont la caractéristique est d'afficher le type de chanson jouée, son titre et le nom de

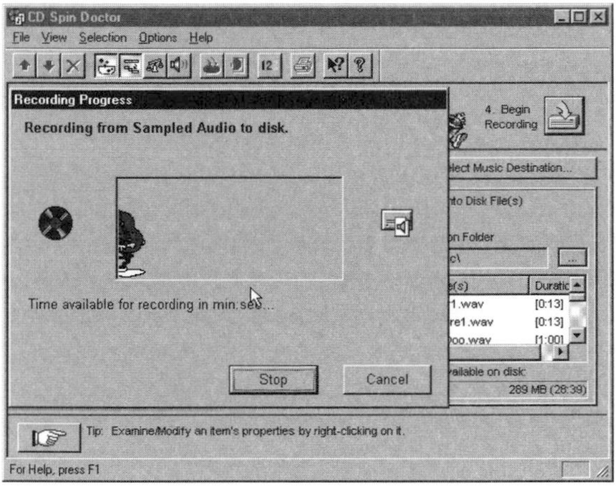

Figure 10.7 : Spin Doctor, enregistrement.

l'auteur. Il est également possible d'associer des images aux titres ! Si ce CD n'est pas encore lisible sur la plupart des lecteurs de salon, il l'est sur un PC muni d'un logiciel de lecture approprié.

Voici un bref panorama des informations qui peuvent être déclarées dans un CD-Text.

- Sur l'album :
  - le titre ;
  - le numéro de référencement.
- Sur chaque piste :
  - les noms des participants à la création du titre ;
  - le nom de la séquence sonore (titre de la chanson).

Création d'un CD-Text

Avec CDRWIN

CDRWIN sait copier des CD et, éventuellement, ajouter des champs CD-Text dans la copie. C'est un principe vraiment génial puisqu'il permet en quelques minutes de transformer n'importe quel disque du marché en CD-DA à la norme CD-Text ! Il suffit pour cela d'extraire l'image du disque et de remplir les champs de l'éditeur CD-Text, puis de regraver !

Avec WinOnCD 3.6 et supérieurs

Avec WinOnCD, le processus n'est pas très différent de la gravure d'un simple disque DA :

1. Ouvrez la fenêtre du nouveau projet.
2. Validez l'onglet Audio.
3. Choisissez l'icône CD-Text.
4. Créez votre layout en faisant glisser vos pistes audio dans la section Pistes selon la méthode précédente.
5. Faites un clic droit sur chaque piste.
6. Remplissez la fenêtre avec les noms d'auteurs, les titres...
7. Pour définir un titre et un auteur sur l'intégralité du disque, cliquez droit sur la piste 01 libellée CD-Text et remplissez les champs.

C'est prêt !

Surprise ! Les CD-DA sont parfois déjà CD-Text !

*En tentant de réaliser un CD-Text d'après un disque DA de Tears for Fears (*Raoul and the King of Spain*), nous nous sommes aperçus que les noms des séquences et des interprètes étaient déjà... inscrits dans* *la zone CD-Text de WinOnCD ! Notre CD-DA était déjà Text sans que nous ayons rien eu à saisir !*

Nous avons d'abord cru que WinOnCD disposait de sa propre base de données..., mais nous avons installé d'autres disques dont les pistes n'étaient pas plus Text !

La documentation de WinOnCD n'indique rien à ce propos. Peut-être certains disques contiennent-ils dans l'un de leurs subcode channels des informations textuelles prévues pour le copyright et que WinOnCD sait lire ces zones... En tout cas, c'est une bonne surprise qui confirme la suprématie actuelle de WinOnCD dans le monde de l'audio !

Graver des fichiers MP3 téléchargés sur Internet

La floraison de fichiers sonores MP3 sur Internet nous amène à nous demander logiquement si nous ne pourrions pas graver ces séquences de qualité CD sur un CD !

A l'heure actuelle, WinOnCD, Nero 5, Easy CD et quelques logiciels shareware permettent de faire glisser une séquence MP3 sur une piste de projet de CD-DA.

La conversion du MP3 au format DA (pour un disque lisible en voiture ou au salon) est donc automatique et transparente.

A l'adresse **http://www.mp3.com**, vous obtiendrez la liste complète des outils spécialisés, dont l'excellent Virtuosa d'Audiosoft (en version démo), spécialisé dans la gravure MP3.

Que notre logiciel sache graver ou non du MP3, quels problèmes allons-nous rencontrer ?

Le MP3, ça plante parfois…

Les lecteurs MP3 intégrés aux logiciels de gravure (en particulier celui de WinOnCD) ont une fâcheuse tendance à planter lorsque le fichier qu'on leur soumet n'est pas compatible à 100 % avec leurs propres normes (c'est-à-dire celles des ingénieurs de Cequadrat). Pour remédier à ce problème, convertissez le MP3 au format Wav avec l'un des outils décrits dans notre Heure concernant les logiciels et les utilitaires, puis récupérez la séquence Wav dans votre logiciel de gravure en lieu et place du fichier MP3.

Selon votre logiciel de gravure, vous serez confronté à deux sortes de problèmes :

- Le logiciel ne sait pas manipuler les fichiers MP3 : impossible donc de les faire glisser sur son layout.
- Le logiciel sait les graver, mais il produit parfois des erreurs de lecture des séquences.

Dans les deux cas, il existe une seule solution, toute simple : passer la séquence MP3 à la moulinette d'un logiciel de conversion, puis la transformer en fichier Wav.

Le meilleur de ces logiciels de conversion, c'est MP3 Dec, qui ne fait que ça !

1. Lancez MP3 Dec.
2. Faites pointer la fenêtre de gauche sur le fichier MP3 à convertir.
3. Cliquez sur la flèche pour l'envoyer dans la liste de gauche.
4. Cliquez sur Decode.

Si, malgré tout, le fichier Wav généré d'après le fichier MP3 persiste à être tronqué au milieu, ou pire, si c'est

MP3 Dec qui plante, essayez d'autres formats de décodeurs, toujours avec ce convertisseur :

- Déroulez Option, Préférence.
- Essayez ID3 TAG EDITOR ou encore Visual configuration.

Après plusieurs tentatives, aucun fichier MP3 ne résiste, il suffit alors de faire glisser la séquence Wav que le décodeur a créée sur une piste de projet CD audio.

Ne gravez pas les séquences pirates de disques du commerce, c'est totalement interdit et sévèrement puni. Il existe suffisamment de séquences libres, de qualité, émises par de vrais artistes en veine de célébrité sur les sites légaux tels que **www.mp3.com**.

Vous pouvez également télécharger des échantillons d'artistes sur leurs sites et les graver. Liste complète sur **www.webgratuit.com**.

Et les formats exotiques ?

Vous trouverez également sur Internet quelques séquences exotiques au format ASX (Microsoft) ou RA (Real Audio). Ce dernier format est souvent de mauvaise qualité FM, mais vous pouvez graver les fichiers en les transformant au format Wav avec un convertisseur.

Heure 11

Les problèmes que vous avez peut-être rencontrés

Vous venez de tout lire, de tout tenter : rien à faire. Ça grave mal, ça s'arrête, bref, c'est la catastrophe. Une Heure ne sera donc pas de trop pour tenter de diagnostiquer les problèmes que vous avez rencontrés. Quelques rappels sur les règles à suivre afin de les résoudre au mieux. A commencer par les "erreurs" pendant la gravure. Elles sont presque toujours dues à un mauvais flux d'envoi de données vers le CD-R.

Erreurs inexpliquées

Le graveur de CD-R a besoin de recevoir les données sous une forme linéaire et à la bonne vitesse. Il les grave, en effet, selon un rythme très précis. Si la cadence est modifiée ou le débit entravé, l'enregistrement sera stoppé. Par voie de conséquence, gravure et disque seront perdus.

La grande majorité des pertes ou des ratages de disques peut être imputée à un défaut de vitesse de transfert des données entre le disque dur et le graveur. C'est pour ce motif que les meilleurs graveurs sont ceux qui disposent d'un disque dur interne.

Donc, le moindre ralentissement du PC peut être la source d'un abandon de gravure, sans que cette situation se reproduise ultérieurement. Ce sont les CD-R ratés, "je ne comprends pas pourquoi" ! Voici quelques causes de "je ne comprends pas pourquoi" que vous devrez essayer d'éviter.

Trop d'applications ouvertes en même temps

Vous tentez de travailler sur une application alors qu'une gravure est en cours de réalisation. Si cette application, pour un motif quelconque, accède au disque ou monopolise des ressources (processeur, canaux de DMA), il est possible que l'intégralité du PC soit ralentie. La vitesse devient légèrement insuffisante, et donc le graveur cesse de fonctionner, faute de données.

- Durant la gravure, essayez de ne rien faire d'autre en même temps.
- Si des utilitaires ou des résidents sont chargés, désactivez-les.
- Si des logiciels sont chargés, fermez-les.
- Fermez tous vos antivirus.

Opérations automatiques de Windows 95

Votre station est équipée de Windows 95, et vient de travailler sur une application qui fait abondamment appel à la mémoire et au disque dur. Quelques minutes plus tard, Windows va automatiquement effacer les fichiers temporaires et virtuels. Les accès au disque se multiplient de façon impromptue et le débit devient insuffisant.

- Essayez de faire en sorte que votre Windows soit stabilisé avant de lancer la gravure, au besoin en redémarrant l'ordinateur.
- Essayez de ne pas utiliser le même disque que celui du fichier virtuel de Windows 95 pour vos fichiers temporaires de gravure.

Incompatibilités avec Windows 98

Windows 98 n'est pas à proprement parler incompatible avec les graveurs et leurs logiciels, mais quelques modifications subtiles du système et des pilotes ATAPI pour graveurs EIDE qu'il installe automatiquement semblent poser des problèmes dans certains cas, en premier lieu avec les logiciels :

- Si vous utilisez un logiciel Adaptec (Easy CD Creator) et que vous rencontriez des problèmes inexplicables, installez les derniers pilotes d'Adaptec (**www.adaptec .com**).
- Si vous utilisez WinOnCD OEM, et que votre logiciel grave parfois une partie d'un CD et s'arrête en cours de route, gâchant le CD-R, essayez de passer à la nouvelle version 3.6.
- Si vous utilisez Nero et que ce dernier ne détecte pas votre graveur, essayez d'installer le patch ou le dernier pilote à jour fourni par le fabricant du graveur. Eventuellement, essayez de passer à Nero 4.
- Si, en général, les logiciels de gravure ne détectent pas votre graveur après l'installation de Windows 98,

essayez de remplacer le pilote ASPI de Windows 98 par celui que vous trouverez sur notre CD.

Les graveurs SCSI ne posent généralement pas de problème avec Windows 98. En cas de dysfonctionnement, essayez d'installer les derniers drivers ASPI d'Adaptec ou du fabricant de votre carte SCSI.

Troubles dus à une carte réseau

Les cartes réseau consomment beaucoup de puissance processeur sur certains PC, peu le savent. Si la carte entre en action, il est possible que, là encore, le flux soit altéré.

- Si le graveur est sur un PC serveur, la consommation de puissance sur ce dernier est incontrôlable. Evitez cette configuration à tout prix. Au besoin, supprimez les partages de fichiers et d'imprimantes pendant la gravure.
- Si votre PC utilise un logiciel d'e-mail en permanence activé, il peut accéder à intervalles réguliers à un serveur de courrier. Si le courrier reçu est abondant, le disque dur devient encombré. Solution : désactivez votre logiciel d'e-mail avant de graver.

Si la gravure s'est interrompue avec message

Il arrivera parfois que la gravure soit interrompue de manière impromptue, et avec un message d'erreur pour seule explication. Manque de chance, ce dernier n'est pas toujours très explicite. Dans de nombreux cas, c'est encore à un problème de flux que nous ferons face. Et, éventuellement, à un défaut de configuration.

Les problèmes qui proviennent du graveur

Le graveur peut occasionner des difficultés liées à des problèmes de vitesse ou de buffers.

Vitesse de gravure

Jusqu'à une date récente, tous les graveurs de CD-R étaient du type 1×, c'est-à-dire capables de graver à une vitesse de 150 Ko/s. Ensuite, sont apparus des graveurs 2× (300 Ko/s) et 4× (600 Ko/s). Les détenteurs de ces graveurs rapides sont légitimement tentés d'utiliser les possibilités de leur matériel. C'est malheureusement une source de défaillances supplémentaires ! L'enregistrement des CD-R étant accompli en temps réel, chaque amélioration de la vitesse augmente le risque de voir le flux d'envoi des données vers le CD-R devenir insuffisant. N'oubliez pas qu'à 600 Ko/s, le débit de gravure devient très proche de celui du disque dur, et le moindre incident devient alors catastrophique !

Si vous rencontrez trop souvent des interruptions ou des erreurs de gravure, commencez toujours par réduire le débit au minimum, c'est-à-dire 1×, (voir le tableau de configuration de l'Heure 4).

Buffers du graveur

Le message "buffers underrun" est typique des buffers insuffisants ou mal configurés. Positionnez les buffers de votre graveur au maximum de leurs possibilités, en lisant la documentation de votre matériel. Si cela ne suffit pas, réduisez la vitesse (voir Figure 11.1). Si cette solution résout vos problèmes, c'est que votre machine n'est probablement pas capable de graver plus rapidement. Dommage...

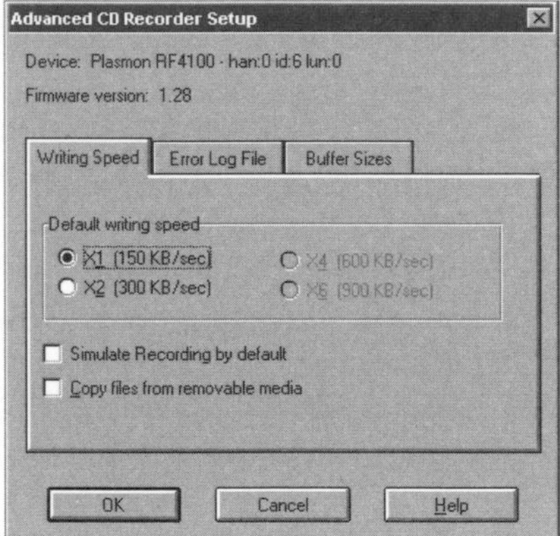

Figure 11.1 : Réduisez la vitesse.

Les problèmes qui proviennent de la carte SCSI

La carte SCSI peut engendrer des problèmes de câblage et de configuration.

Configuration

Si l'interruption est systématique en début de gravure, ou erratique, malgré l'utilisation d'une machine très puissante, votre carte SCSI est peut-être mal configurée. Revoyez les Heures 4 et 5 pour tenter de résoudre des problèmes de pilotes trop anciens qu'il faudra mettre à jour. Vérifiez aussi, dans ces mêmes heures, si le paramétrage de la carte est adapté à la gravure de CD.

Câble et bouchon

Les chaînes SCSI sont ainsi faites qu'elles peuvent en apparence fonctionner correctement alors qu'elles sont en réalité défaillantes. Pourtant, immanquablement, au bout de quelques minutes, une fonction rendue indisponible par la présence d'un défaut provoque une erreur de gravure, de lecture, voire d'écriture sur le disque dur contenant les données à graver. Et sans aucune forme d'explication ! En apparence, c'est illogique, en pratique, c'est que la chaîne SCSI est défaillante. Vérifiez donc que les câbles sont de bonne qualité, que le bouchon est installé, et que l'option Bouchon activé de la carte SCSI est validé.

Les problèmes qui proviennent d'un disque dur trop lent

Dans de nombreux cas, vous pourrez résoudre les problèmes liés à la vitesse du disque dur en augmentant la taille des buffers du graveur de CD. Les buffers, remplis moins souvent par de gros blocs de données, rendent le graveur moins sensible au débit du disque.

Vitesse insuffisante

Que vous utilisiez une image ISO lue "à la volée" (*on the fly*) ou une lecture de tous les fichiers, au fur et à mesure, le disque dur doit absolument être accessible à une vitesse légèrement supérieure à celle de remplissage des buffers du graveur de CD. On estime que le temps d'accès moyen aux données contenues sur le disque doit être d'au moins 19 millisecondes. Essayez de changer le pointage des fichiers temporaires en les dirigeant, par exemple, vers un autre disque dur.

Fragmentation

La fragmentation du disque, c'est le fractionnement en une multitude de morceaux des fichiers qu'il contient.

DOS, mais aussi Windows 3 ou Windows 95, sont ainsi conçus qu'ils occupent tous les espaces laissés libres lors des effacements précédents, par des nouveaux fichiers. Au besoin, en les découpant en morceaux. Cette fragmentation peut ralentir de beaucoup le débit du disque. Pour la contrôler, lancez l'utilitaire Defrag sous Windows 3 et DOS (commande `C :>DEFRAG`) ou Défragmenteur de disque, accessible depuis le menu Démarrer, Programme, Accessoires, Outils système (voir Figure 11.2). Si votre disque est fragmenté, lancez une défragmentation avant de graver un CD.

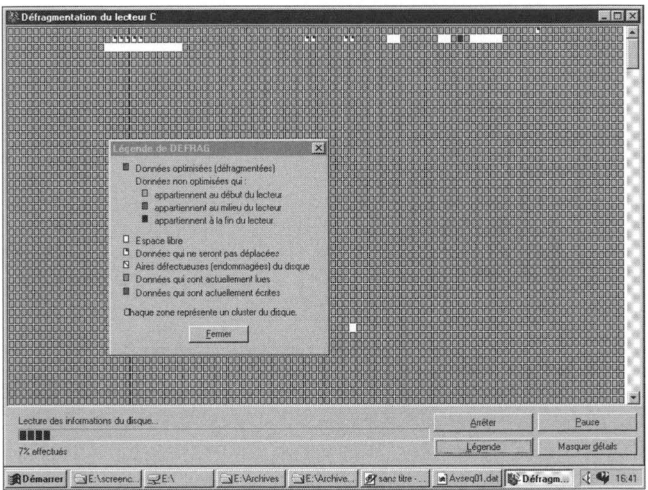

Figure 11.2 : Contrôlez la fragmentation.

Recalibration thermique

De nombreux disques durs réalisent, à intervalles réguliers, une "recalibration thermique". Cette opération permet au disque de s'assurer que son matériel de lecture est correctement réglé et qu'il occasionnera le moins d'erreurs possible. Problème : la recalibration bloque le fonctionnement du disque dur pendant une demi-seconde. Si pendant cette demi-seconde, les buffers du graveur sont insuffisamment remplis, le processus de gravure est annulé !

Certains disques durs "recalibrent" de manière intelligente, attendant qu'aucune opération ne soit en cours : c'est le cas, entre autres, des disques de Micropolis et de Fujitsu.

Si votre CD semble gravé, mais n'est pas lisible

De nombreux impondérables peuvent occasionner des problèmes de lecture.

Les problèmes dus au choix du format de structure de fichiers

Les messages de type "fichier inconnu" ou "fichier absent" sont typiques d'un choix de structure de fichiers erroné. Vous n'avez pas choisi un ISO standard, utilisé Joliet ou Romeo, et le PC ne le supporte pas. Essayez à nouveau avec une structure typiquement ISO 9660.

Les problèmes liés aux pilotes SCSI ou EIDE

Un pilote SCSI ou EIDE inadapté (par exemple, une version trop ancienne) peut très bien conduire jusqu'à son terme une session de gravure, tout en l'émaillant de dizaines d'erreurs. Vérifiez que la version de vos pilotes SCSI est bien la dernière mise à jour.

Le CD met un temps interminable pour être lu

C'est le cas typique d'une structure de fichiers mal enregistrée ou utilisant un format illisible. Vérifiez les deux points précédents. Si le symptôme persiste, essayez de graver à nouveau en mode 2 si le CD-R illisible est en mode 1, et en mode 1 si le CD est en mode 2. Si cette manipulation fonctionne, attention : votre lecteur de CD-ROM n'est pas parfaitement compatible.

Les problèmes liés aux pilotes SCSI ou EIDE

Un pilote SCSI ou EIDE inadapté (par exemple d'une version trop ancienne) peut très bien conduire une session de gravure jusqu'à son terme, tout en détruisant le CD-R ! Le CD est apparemment bon. Pourtant, il ne fonctionne pas. Dans ce cas de figure, typique, vérifiez bien la chaîne SCSI et les pilotes.

Les problèmes qui proviennent du système

Les versions de BIOS se succèdent. Un BIOS trop ancien peut être à l'origine de problèmes qui se révéleront parfois à la suite d'une gravure de CD-R. Vérifiez donc que le BIOS de votre PC n'est pas trop ancien (voir Figure 11.3). Consultez pour cela l'option Système du Panneau de configuration.

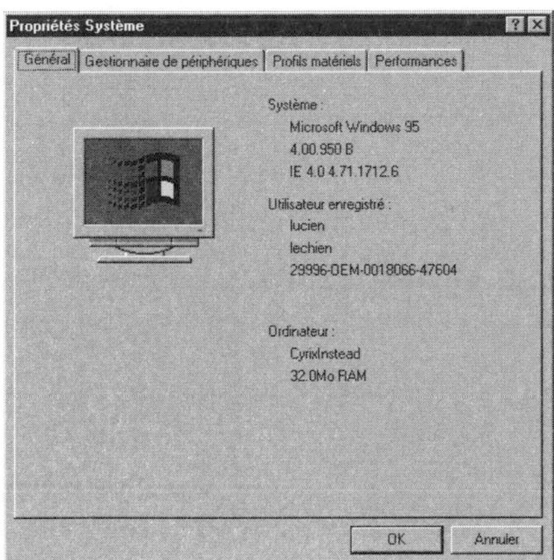

Figure 11.3 : Attention à la version du système.

Les problèmes d'illisibilité avec les lecteurs de salon et les consoles

Le CD vidéo n'est pas lisible dans le lecteur de salon

Vous avez probablement enregistré un mauvais format MPEG ou encore un disque non compatible. Ne confondez pas CD vidéo avec CD contenant de la vidéo : le CD vidéo répond à la norme du *White Book*. Il est lisible aussi bien sur PC que sur lecteur de salon CD vidéo, et même sur quelques lecteurs de DVD.

Un CD-R peut contenir n'importe quel type de vidéo (AVI, MPEG, Quicktime) ; il est lisible sur la machine à laquelle il est destiné (un PC dans le cas d'un fichier AVI, un Mac ou un PC dans le cas d'un fichier Quicktime par exemple).

Seuls WinOnCD et Easy CD Creator savent créer de vrais CD vidéo.

Le CD vidéo provoque un flash sur le lecteur de salon et répond "No disc" sur le lecteur DVD

Ce problème a été soulevé par un lecteur qui avait employé l'utilitaire DVMPEG et gravé son disque avec Easy CD Creator. En l'occurrence, il est probable que c'est ce compresseur qui était défaillant : Easy CD Creator, dans sa dernière version, est livré avec Xing, qui est réellement capable de générer un fichier MPEG lisible dans un lecteur CD-I. Il ne faut pas oublier non plus que les lecteurs de salon ont absolument besoin du code CD vidéo ou CD-I pour lire une vidéo. Il faut donc impérativement exploiter un logiciel capable de générer ce code, et suivre sa procédure pas à pas. Dans tous les cas, nous recommandons d'utiliser strictement et à la lettre les modèles d'Easy CD Creator ou de WinOnCD.

Le CD vidéo n'est pas lu sur un CD-I

Attention : les consoles CD vidéo et CD-I sont différentes ; certains lecteurs de CD-I ont besoin d'une cartouche pour lire les CD vidéo et d'un ensemble de programmes (CDI_Apps), non disponible dans le commerce.

Ma copie de disque PSX est illisible sur ma console

Les copies de disques PSX sont illisibles sur une console à cause de leur dispositif de protection. Il faut un processeur spécial, le modchip, pour rendre ce disque lisible.

Les graveurs de CD-R semblent plus rapides (temps d'accès et taux de transfert) que les graveurs de CD-RW : est-ce vrai ?

Aucune différence technique entre un graveur de CD-RW et un CD-R ; l'explication est commerciale. Tous les nouveaux graveurs sont au moins 4× avec fonction

CD-RW en standard. Ils sont donc plus performants car plus récents, mais un graveur 4× CD-R est égal à un graveur 4× CD-RW.

Questions et réponses sur le CD-RW

Les CD-RW sont-ils aussi rapides que les CD-R pour les CD et moins rapides pour les CD réinscriptibles, ou les CD-RW sont-ils moins rapides pour les deux types de disques ?

Un CD-RW peut être moins rapide qu'un CD-R en raison de son système de gestion de fichiers OSTA UDF qui consomme du temps machine. Sinon, aucune différence !

Les graveurs de CD seuls sont-ils en voie d'extinction ?

Probablement... L'avenir appartient au CD-RW.

N'ayant pas réellement besoin d'un CD-RW (sauf sauvegarde DD, voir ci-après), pensez-vous que je doive me contenter d'un CD-R, ou pensez-vous que la différence de prix étant minime, à performances équivalentes, il vaut mieux acheter un CD-RW qui est plus polyvalent ?

La fonction crée le besoin : quand on a goûté à cette fonction, on ne peut plus s'en passer ! N'hésitez pas, achetez un CD-RW, qui de toute façon voit sa différence de prix avec le graveur CD-R seul fondre au fil des jours.

Le CD-RW semble pouvoir supplanter avantageusement les lecteurs ZIP : quel est le plus rapide, le plus convivial ? Est-il envisageable de faire des sauvegardes régulières de fichiers du DD sur un CD-RW, ou est-ce d'une complexité telle qu'il vaut mieux le faire sur un ZIP ?

Il n'existe aucune différence de fonctionnement entre un Zip et un CD-RW. En revanche, le Zip est pour l'instant beaucoup plus rapide qu'un CD-RW. Côté prix, à 20 F l'unité, le CD-RW l'emporte haut la main ! Faire des sauvegardes régulières de CD-RW est parfaitement

envisageable. Ce qui est dangereux, c'est d'utiliser un CD-RW "en ligne" comme un disque dur, car la limite des séquences d'écriture/effacement peut être rapidement atteinte.

Vous dites souvent dans votre livre que la meilleure façon de copier un CD audio est de passer par une extraction audio. Je suis donc obligé de mettre mes disques dans le graveur pour extraire leur contenu. Mais le fait de se servir du graveur de cette manière (comme d'un lecteur) ne risque-t-il pas d'endommager la tête du graveur ? Cette dernière n'est-elle pas plus lourde que celle d'un lecteur, et ne déconseille-t-on pas d'en faire un tel usage ?

Oui, la tête du graveur est lourde et son temps d'accès piste à piste plus lent. Mais non, le fait d'utiliser un graveur comme un lecteur n'est absolument pas dangereux pour le graveur. Ce dernier est un lecteur comme un autre. Par exemple, l'une de mes stations est équipée d'un unique graveur (Traxdata), qui fonctionne tous les jours dans les deux modes (graveur et lecteur) et ne donne absolument aucun signe de défaillance.

A-t-on une idée du nombre de CD que peut graver un graveur avant de connaître des problèmes ?

Je n'ai trouvé que peu d'informations sur le sujet. Les fabricants parlent de "MTBF" ou "temps moyen avant de rencontrer un défaut" qui est donné le plus souvent en heures. A mon avis, il est possible de graver 5 000 à 10 000 CD avant de rencontrer un problème, qui sera probablement lié, comme sur les lecteurs, à un désazimutage des têtes. D'ici là, les graveurs 40× coûteront moins de 500 F, alors...

LES PROBLÈMES LIÉS AUX CD AUDIO

Une des pistes est tronquée

Vérifiez que la gravure ne s'est pas arrêtée en cours de route s'il s'agit de la dernière piste. Vérifiez la taille de la piste Wav sur le disque dur : elle est peut-être elle-même tronquée. Si la piste en question vient d'un fichier MP3, convertissez ce fichier au format Wav avant de le graver.

Le disque crache des parasites sur le lecteur de salon

Le format audio des données contenues sur un disque audio ne possède pas de correction d'erreurs : il est probable que votre machine d'extraction (un lecteur de CD-ROM) ne soit pas capable d'une extraction de qualité. Essayez d'extraire des séquences audio depuis le graveur ou réduisez la vitesse.

Le problème des clics dus au mode track-at-once

N'oubliez pas que lorsque vous enregistrez un disque audio en mode track-at-once, le logiciel insère obligatoirement des blancs de deux secondes entre chaque piste : ces blancs sont audibles. Pour les supprimer, enregistrez votre disque en mode disk-at-once.

Mon CD audio produit des bruits atroces

Vous avez créé un CD en mode mixte (CD-ROM plus audio) en déclarant la piste audio en tant que première piste : le lecteur de salon de CD audio doit toujours rencontrer une première piste audio. Installez vos pistes de données en fin de disque.

Comment créer plusieurs pistes sans blanc ?

Si je "tronçonne" un acte d'opéra en plusieurs petits fichiers, j'ai un blanc de deux secondes entre chaque piste. Comment faire ?

En tronçonnant sa séquence, ce lecteur a créé une multitude de pistes, forcément séparées par un blanc. Seule solution : ne créer qu'un seul fichier !

Mon CD produit des erreurs

J'utilise la version 4.0 de Nero grâce à laquelle je peux sans problème graver un CD entier ; par contre, quand il s'agit de faire une compilation, ça se corse : en effet, j'ai réussi à créer le layout, mais, au moment de cliquer sur Ecrire le CD, l'ordinateur m'annonce : "erreur : impossible de connecter le TRF" puis "error program". Devant cela, je suis impuissante : pourriez-vous me dire qu'est-ce que ce TRF et quel est le moyen de remédier à mon problème ?

Ahead propose désormais dans sa section Téléchargement de nombreux outils de test et de résolution de conflits. Visitez pour cette catégorie de problèmes **http://www.ahead.de/en/Download.htm** et installez dans l'ordre et jusqu'à résolution du problème :

- Le Nero ASPI Driver.
- Testez votre lecteur de CD-ROM (en cas de copie disque à disque) avec TESTCD.EXE.
- Le cas échéant, mettez à jour votre logiciel si le CD-ROM n'est pas reconnu, avec CD-ROM.EXE.

Problèmes d'extraction

Un lecteur me soumet le problème suivant :

Je possède un lecteur de CD-ROM Mitsumi FX820S. Je suis en mesure de copier un CD audio directement du CD vers le graveur lorsque j'exploite Easy CD Pro 2.11. Malheureusement, lorsque j'exploite CDRWIN35C, la copie directe du lecteur vers le graveur ne fonctionne pas ! Je n'arrive pas non plus à extraire une image ISO. En revanche, lorsque j'utilise CDRWIN depuis le graveur, aucun problème. Avez-vous une explication ?

Dans le cas présent, il est manifeste que CDRWIN ne parvient pas à piloter le lecteur de CD. Ce cas est typique d'une mauvaise exploitation de pilote, d'autant plus quand Easy CD Pro (fourni avec les pilotes d'Adaptec, qui sont les meilleurs) fonctionne parfaitement. Diagnostic : CDRWIN ne gère pas correctement le lecteur Mitsumi. Solutions ? Essayer la version 3.6 de ce logiciel ou tenter d'installer le pilote livré sur notre CD. Mais pas de garantie de résultat : désolé !

Mon lecteur de CD-ROM accepte l'extraction audio d'après Easy CD Creator, mais le logiciel bloque pourtant quand il s'agit de les extraire !

C'est très fréquent : le chip extracteur est probablement de mauvaise qualité, ou le firmware du lecteur de CD-ROM menteur (ça arrive très souvent). Diminuez la vitesse d'extraction si possible, ne copiez pas en "direct to disc", extrayez uniquement depuis votre graveur en dernier ressort. Encore mieux, achetez un lecteur de DVD-ROM !

Usure des CD audio

Voici une excellente question sur l'usure des CD audio :

Savez-vous si les CD gravés sont dangereux pour les platines de salon et les chaînes hi-fi ? En effet, j'utilise souvent des CD gravés dans ma chaîne hi-fi, et cela depuis un an et trois mois, mais depuis quelques jours celle-ci ne veut plus rien lire, même mes originaux. De plus j'ai déjà entendu quelqu'un me dire qu'il avait eu le même problème.

Les CD-R sont passifs : en clair, ils se contentent d'attendre qu'on les lise. Donc, si votre platine ne fonctionne plus, c'est qu'elle est déréglée à cause d'un usage... intensif ! Ce qui est possible en revanche, c'est que des CD-R un peu vieux deviennent illisibles à la suite, par exemple, d'une exposition au soleil.

Appareils de salon

La gravure sur des lecteurs de salon ou encore la lecture de vos CD gravés sur PC sur lecteurs de salon peut poser de nombreux problèmes. Tour d'horizon !

Pourquoi mon copieur de salon exige-t-il un CD-R audio ?

Parce que Philips ou Sony, ou les deux (je ne sais pas trop) ont décidé de récupérer un peu d'argent sur votre dos ! Le CD-R audio est un CD-R comme les autres avec un joli logo... et quelques petites protections. Sans protection, pas de gravure dans le salon. Donc ? Pour graver un CD audio avec votre PC, un CD-R à 9 F suffira (1,3 euro...) ; avec votre joli lecteur de salon, un CD-R audio à 30 ou 40 F sera indispensable.

Le disque n'est pas lu sur tous mes lecteurs de salon

Lorsque le disque est lisible, mais pas partout, vous avez soit un problème de CD-R de mauvaise qualité, soit un problème de précision d'enregistrement des pistes. Optez pour un support de meilleure qualité, ou réduisez la vitesse de gravure à 1×.

Le lecteur de salon met un temps interminable pour détecter les pistes

Même problème que précédemment : réduisez la vitesse de gravure ou changez pour un support de meilleure qualité.

Le disque crache des parasites sur le lecteur de salon

Le format audio des données contenues sur un disque audio ne possède pas de correction d'erreurs : il est probable que votre machine d'extraction (un lecteur de CD-ROM) ne soit pas capable d'une extraction de qualité. Essayez d'extraire des séquences audio depuis le graveur ou réduisez la vitesse.

Le fichier MP3 plante le logiciel de gravure

Utilisez le convertisseur MP3 Dec pour transformer le fichier au format Wav et regravez-le.

Comment faire pour...

Ajouter des informations CD-Text sur un CD audio ?

Récupérez tout le contenu du disque audio *via* une extraction ISO de CDRWIN, ajoutez les noms des séquences texte avec l'éditeur, et regravez le disque.

Supprimer les craquements d'un vinyle à transférer sur un CD ?

Si vous ne désirez pas exploiter les fonctions automatiques de logiciels évolués tels qu'Easy CD ou WinOnCD, vous pouvez procéder manuellement en utilisant les recettes suivantes :

Enregistrez la séquence sonore depuis la source audio vers votre disque dur, avec un niveau d'entrée le plus haut possible, mais sans atteindre la crête (le plus souvent affichée en rouge sur l'écran).

Configurez l'acquisition avec les paramètres suivants : 16 bits, stéréo, 44 kHz.

Avec un logiciel tel que Cool Edit : dans la boîte de dialogue Noise reduction, paramétrez FFT size à 8192, FFT precision à 10, et #of samples à 96.

Sélectionnez une zone de silence entre des morceaux ou à la fin du disque. Cette zone peut comporter des craquements, mais pas de "clics" trop importants. Paramétrez le niveau de bruit.

Sélectionnez la piste entière et lancez la réduction de bruit avec un taux moyen de 70 %.

Sélectionnez la piste entière et procédez à la normalisation.

Heure 12

Les améliorations après la gravure

Le CD est gravé, il fonctionne, tous les problèmes sont résolus : vous êtes désormais en possession d'un magnifique disque brillant et parfaitement fonctionnel. Le travail est donc presque fini. Presque ? Oui ! Car logiciels et matériels nous réservent encore quelques surprises. Vous vous doutiez sans doute qu'il est possible d'écrire sur la sérigraphie de votre CD vierge, mais saviez-vous que vous pouvez aussi créer des jaquettes, des étiquettes, bref, rendre vos CD encore plus proche des "vrais" ? Les logiciels de gravure sont souvent accompagnés d'outils de création de jaquettes. A utiliser absolument pour classer, ranger, organiser (voir Figure 12.1).

Histoires d'impression

En ce qui concerne l'attribution d'un nom au disque, peu de choses à dire : vous pouvez écrire dessus avec un stylo feutre épais. Marquez le nom, un numéro de version et la

date de gravure. Cela peut toujours servir : les CD-R ont comme particularité de tous se ressembler, et quand vous en aurez une collection importante, vous me remercierez pour ce conseil en apparence inutile...

Etiquettes en stock

Il existe d'autres possibilités d'impression : la jaquette, que vous pourrez ensuite installer dans le boîtier cristal, par exemple, peut être créée dans votre logiciel ou par un outil accessoire. C'est le rôle des accessoires tels que Avery Media Software. Ce logiciel est gratuit et envoyé contre le coupon que vous trouverez dans les boîtes de pages prédécoupées de la même marque.

Pour chaque partie d'un CD-R — le boîtier cristal, le disque — Avery Media vous propose des modèles prêts à l'emploi, à imprimer sur les étiquettes du fabricant.

La plupart des logiciels, notamment WinOnCD ou Easy CD, vous proposent eux aussi leurs dispositifs de gestion de jaquette, beaucoup moins sophistiqués malheureusement.

Quelques produits accessoires

Vous pourrez aussi vous procurer chez Inmac, Surcouf, ou encore dans des grandes surfaces, une multitude de petits produits agréables à utiliser. Chez Inmac, par exemple, vous pourrez accueillir des boîtiers de couleur pour CD-R, au prix de 55 F l'unité (un peu cher quand même...).

Notons aussi la présence chez HP d'un kit d'étiquetage de CD, très pratique, qui consiste en ramettes d'étiquettes prêtes à coller, associées à un logiciel (Labeler) et un appareil mécanique pour le collage. Ces étiquettes peuvent être

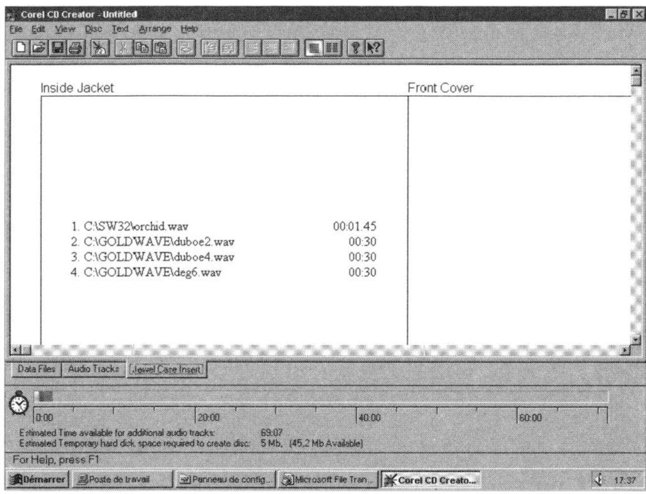

Figure 12.1 : Les améliorations.

imprimées en couleur et en noir & blanc par les imprimantes de la marque. Le kit est à 348 F, et les étiquettes supplémentaires (vendues par trente) coûtent un peu plus de 100 F.

Annexe

Logiciels

Privilège du journaliste auteur : il exploite et utilise gratuitement tous les logiciels qui lui sont gracieusement fournis par les éditeurs. C'est ce qui me permet de vous présenter ici tous les logiciels actuellement disponibles sur le marché français, testés dans leur dernière version au 31 août 2000. Certains des textes reproduits ici ont été publiés dans *PC Magazine*.

LES LOGICIELS DE CRÉATION

Examinons donc en premier lieu les logiciels de création. A l'heure actuelle, seuls trois outils sont vraiment les meilleurs sur le marché. Nous les avons tous testés avant d'en parler. En voici le descriptif.

WinOnCD 3.7 et 3.8 Power Edition

La dernière version de WinOnCD, non disponible en France à l'heure où nous écrivons ces lignes, est la 3.7. Une version 3.8 est déjà annoncée et devrait arriver rapidement. WinOnCD 3.7 Power Edition est sur la même lancée que la version précédente : bien qu'il soit disponible depuis peu, WinOnCD a déjà été élu meilleur logiciel de gravure de CD lors des tests comparatifs effectués par divers magazines informatiques allemands.

Quelques nouveautés comme le projet Album Photo. Avec lui des fichiers image peuvent être associés aux albums de photos correspondants, qui peuvent ensuite être consultés en haute résolution sur le téléviseur à l'aide d'un lecteur de CD vidéo ou de DVD. Les options des menus sont créées automatiquement en fonction des indications de l'utilisateur. Vous pouvez facilement passer d'une image à l'autre grâce à la télécommande. En outre, la durée d'affichage de chaque image lors de diaporamas automatiques peut être définie librement. Pour les utilisateurs qui veulent voir leurs albums de photos directement sur PC, un format HTML est créé parallèlement à la partie ISO du CD, de sorte que les albums peuvent être affichés sur le PC avec n'importe quel navigateur. La résolution est réglée automatiquement lors de l'insertion des images dans le projet Album Photo, de même que la conversion de format. Vous pouvez sélectionner librement les arrière-plans et les titres.

Autre nouveauté de la version 3.7 : l'émulateur de CD. Dans ce lecteur de CD-ROM virtuel, vous pouvez charger des images ISO de CD créées précédemment avec WinOnCD 3.7. Vous pouvez accéder à l'image exactement comme dans le cas d'un lecteur réel, une lettre représentant le lecteur est attribuée pour cela sous Windows à l'émulateur de CD. Ainsi, l'émulateur de CD permet de tester de façon exhaustive des CD avant de les graver dans un environnement réel. Vous pouvez également utiliser l'émulateur de CD comme lecteur de CD-ROM

supplémentaire qui vous permettra d'accéder à vos CD favoris en un temps record.

Les nouveautés de l'Editeur Audio

L'Editeur Audio a été considérablement amélioré. Dans cette nouvelle version, vous pouvez réaliser des fondus enchaînés entre les titres sans recourir à un système multipiste fastidieux : la durée du fondu enchaîné peut être indiquée en secondes. Une pré-audition permet de déterminer rapidement la durée optimale. Ainsi tout le monde peut réaliser des mixages parfaits, tout simplement. Si le rythme n'est pas tout à fait adapté, le filtre SpeedUp vient à votre secours.

Les hauteurs de son peuvent être égalisées à l'aide du nouveau filtre Pitch. L'association manuelle de ces deux algorithmes permet même une adaptation de la vitesse indépendamment de la hauteur de son.

Les acquisitions en mono bénéficieront de plus de profondeur grâce au filtre Mono –> Stéréo. Le nouveau filtre Maturize permet également de créer des effets nostalgiques : des souffles, des bourdonnements, des grésillements et des craquements, dont vous pouvez bien sûr régler l'intensité, peuvent être ajoutés. En outre vous pouvez limiter la hauteur de son.

Si vous désirez ajouter des voix de synthèse ou autres effets spéciaux lors du mixage, l'Editeur Audio propose avec Alienize et RobotVoice des nouvelles fonctions très puissantes. Grâce à ces améliorations, l'Editeur Audio est désormais un outil capable de réaliser des tâches plus complexes, qu'il s'agisse d'améliorer la qualité du son d'enregistrements de vieux disques ou de bandes magnétiques, de créer une super musique d'ambiance pour la prochaine fête ou de personnaliser des enregistrements audio existants.

Vous pouvez enregistrer des données audio au format MP3 avec WinOnCD. Pendant la gravure, le décodeur intégré convertit ces fichiers en temps réel au format nécessaire.

Ces informations sont fournies par Cequadrat, et je n'en sais pas plus pour le moment.

WinOnCD 3.x Power Edition

- Version testée : 3.6 Power Edition.
- Editeur : Cequadrat.
- Configuration de test : PC 6x86 200, 32 Mo de RAM, dd 1,6 Go.
- Environnement : Windows 3.x, 95, NT 3,51 et 4.0.
- Adresse : **www.cequadrat.com**.
- Pilotes et compatibilité : **http://www.cequadrat.com** (rubrique Support).
- Pas de démonstration possible : WinOnCD est souvent livré gratuitement avec de nombreux graveurs, mais en version 3.5.

WinOnCD 3.6 est déjà un outil particulièrement complet : il permet de créer des CD vidéo à la norme 2.0, des CD-Extra, ISO et des CD-ROM. Il extrait les pistes audio sans difficulté pour peu que le lecteur ou le graveur soient aussi des extracteurs. Ce logiciel incorpore directement dans son modèle de création de CD vidéo un outil de compression MPEG-1 : dans ce cas particulier, tout est automatique, et c'est très agréable. Côté copie, l'ancien mode track image est remplacé par un nouveau module CD Copy.

WinOnCD est également équipé d'une aide en ligne (en français, s'il vous plaît) extraordinairement riche. Non seulement elle vous explique comment fonctionne le logiciel (c'est la moindre des choses), mais elle fourmille d'une multitude d'informations pratiques et techniques sur le CD-R en général, et les technologies.

WinOnCD côté son

Lorsqu'il s'agit de créer des CD-DA (CD-R audio), c'est le logiciel WinOnCD 3.6 que nous utilisons pour le DA, et nous ne pouvons plus nous en passer ! C'est dans ce contexte particulier que ce logiciel est véritablement le meilleur.

Pourquoi ? Parce qu'il a tout et qu'il fait tout !

Nous tenons à préciser (à l'attention de ceux qui me remercient souvent par courrier de ne pas être "à la botte des éditeurs" — ce que j'apprécie beaucoup) que notre WinOnCD nous a été gracieusement fourni par Art Ingénierie à l'occasion d'un test pour *PC Magazine*.

Examinons les capacités sonores de ce petit bijou !

La version 3.6 de WinOnCD est munie d'un éditeur audio particulièrement performant. Cequadrat a bien compris que la majorité des utilisateurs de graveurs souhaite avant tout utiliser ces derniers pour créer des CD audio et a donc repensé cette fonction. En premier lieu, les subcode channels, éléments méconnus des CD audio, peuvent être édités. C'est à notre connaissance l'un des premiers logiciels qui autorisent cette manipulation. Avantages : la longueur des "blancs" entre deux pistes audio peut être modifiée, un code ISRC (qui décrit le créateur de la séquence sonore) peut aussi être défini, et ce pour chaque piste.

Un décodeur MP3, format à la mode, a par ailleurs été intégré dans le logiciel. Résultat : il est possible de graver directement des morceaux MP3 sur un CD audio (avec quelques bogues et plantages dans les premières versions, il est vrai).

Autre amélioration : le mode CD-Text est lui aussi supporté si le graveur est compatible (beaucoup le sont). Niveau qualité, une multitude de fonctions améliorent la qualité des sons audio. WinOnCD rejoint en cela le très bon Easy CD Creator d'Adaptec. Avec des fonctions pour supprimer les clics, les bruits de fond et autres parasites, WinOnCD sait désormais récupérer et graver des sources de toutes provenances, y compris de disques vinyle de très mauvaise qualité. Chaque piste peut voir sa séquence sonore adaptée grâce à un équaliseur stéréo à cinq canaux, ainsi qu'un dispositif de contrôle du volume, lui aussi adaptable pour chaque piste. D'autres dispositifs pour CD audio sont également ajoutés, tels un analyseur de fréquences ou un système de plug-in pour appliquer des effets.

Compatibilité

WinOnCD est *a priori* compatible avec tous les graveurs EIDE, les CD-RW inclus, *via* les pilotes ASPI, et bien évidemment avec tous les graveurs SCSI. Sur le site de l'éditeur, vous trouverez une multitude de pilotes pour la plupart des graveurs du marché (**www.cequadrat.com**). Signalons également que la compatibilité de WinOnCD version 3.6 avec Windows 98 s'est considérablement accrue. Nos tests sur graveurs à base Philips, Yamaha et Plasmon n'ont posé aucun problème particulier : le logiciel a immédiatement reconnu le graveur.

Toutes les marques suivantes sont compatibles d'une manière ou d'une autre (par exemple en téléchargeant sur le site de l'éditeur l'un des nombreux pilotes proposés) : Acer, ACS, Creative Labs, Grundig, Hewlett Packard, JVC, Kodak, Mitsumi, Olympus, Optima, Panasonic, Pinnacle, Philips, Plasmon, Plextor, Ricoh, Smart & Friendly, Sony, TEAC, Wearnes Peripherals, Yamaha.

La mort de WinOnCD ?

En 1999 Adaptec a acquis Cequadrat pour la somme de 25 millions de dollars ! Ce qui en dit long sur la qualité du produit, mais nous remplit aussi d'incertitudes sur son avenir... Intégré à Easy CD ou vendu à part comme par le passé ? L'expérience d'Easy CD, qui a petit à petit absorbé le produit Corel CD Creator, nous incite à penser que jusqu'à la fin 1999 WinOnCD devrait rester autonome, pour finir par être progressivement absorbé dans Easy CD Creator.

En attendant, Cequadrat promet que le support sera toujours assuré sur les anciens produits : on peut les croire, car Corel CD fut supporté très longtemps après son absorption par Adaptec. Et il faut bien reconnaître que la version 3.8 du logiciel est une preuve particulièrement évidente de la durabilité de ce produit !

Easy CD Creator 4 Deluxe

- Version testée : bêta build 128 (4.0).
- Environnement : Windows 95/98.
- Configuration recommandée : Pentium 200/32 Mo de mémoire/graveur.
- Editeur : Adaptec.

- Configuration de test : PC 6x86 200, 32 Mo de RAM, dd 1,6 Go.
- Adresse : **www.adaptec.com**.
- Pilotes et compatibilité : **http://www.adaptec.com/support/overview/ecdc.html**.
- Pas de démonstration possible.
- Prix : 590 F.

Véritablement le logiciel le plus complet et le plus sophistiqué du marché à l'heure actuelle. Il suffit de voir la liste des applications de ce produit pour comprendre qu'à moins de 600 F, c'est vraiment ce qui se fait de mieux :

- Easy CD Creator pour créer des CD-ROM.
- Picture CD Creator pour créer des CD de photographies.
- CD Spin Doctor pour copier toute source audio.
- Video CD Creator pour créer des CD vidéo.

Ses points forts ? C'est le seul ensemble totalement conçu pour créer des disques au format CD vidéo, applications CD-I comprises. C'est aussi le seul qui inclut le compresseur MPEG Xing (le meilleur) et de nombreuses fonctions pour gérer et manipuler les fichiers MPEG qui composent ces disques. N'oublions pas non plus Spin Doctor (copie de CD audio et de disques vinyle ou de bandes) et CD Copier, merveilleux outils de copie piste à piste pour les CD audio : ils sont pratiques et efficaces.

Si vous êtes équipé d'un ancien logiciel d'Adaptec, les mises à jour des anciennes versions sont disponibles à l'adresse :

http://www.adaptec.com/support/upgrade/ecdc.html

Le support pour Windows 98 est à l'adresse :

http://www.adaptec.com/support/overview/windows98.html

Dans sa version 4, le logiciel se remet au goût du jour et innove tous azimuts ! Innovation dans le domaine de la convivialité tout d'abord, avec l'apparition d'un petit "M&M" jaune, chargé à tout instant de vous donner des indications sur le processus de gravure : une sorte d'informateur contextuel, en anglais pour le moment, plutôt intelligent.

Dans le même esprit, et ici à l'inverse de la dernière version de WinOnCD, qui multiplie boutons et fenêtres, on simplifie à l'extrême la méthode de travail. Envie de créer un CD audio ? Ouvrez un projet : une simple fenêtre avec notes de musique en filigrane est affichée. Ne reste plus qu'à faire glisser les fichiers son et le projet est prêt ! Tout est simple, mais des possibilités de traitement du son évolué sont ajoutées avec effets et transitions ou encore un intervalle réglable entre les pistes.

C'est aussi une prise en compte des dernières possibilités en matière audio qui fait l'intérêt du logiciel. En commençant par le format audio MP3, directement supporté : il suffit de faire glisser une piste sur un projet pour que cette dernière soit reconnue, et le convertisseur semble plus fiable que celui de WinOnCD. Les CD-Text sont également supportés : cette fonction est un peu déroutante puisque entièrement automatisée, mais c'est tout compte fait le meilleur choix possible puisque ce format est 100 % compatible CD audio *Red Book*. Autant donc le généraliser !

Arrivée aussi d'Internet et de ses possibilités audio, avec CDDB, système de récupération en ligne des titres et noms de séquences des disques en vue de créer ces fameux CD-Text. Le dispositif CDDB est-il vraiment essentiel ? Ceux dont la connexion est un peu lente penseront qu'il est plus rapide de saisir directement les noms et titres que d'attendre que le logiciel ait réussi à récupérer les données.

Autre problème de CDDB pour les francophones, son insuffisance. Patricia Kass ? Une seule sortie ! MC Solar ? Idem ! En revanche, si vous tapez "Brassens" ou un nom d'artiste anglophone, la liste est relativement riche. Bref, bien fait, mais encore incomplet ! En fait, CDDB ne présente un réel intérêt que pour les utilisateurs munis d'une connexion permanente (câble, ADSL), qui auront vraiment l'impression de disposer d'une base de données gigantesque d'un clic de souris. C'est le cas de nombreux Américains ; c'est plus rare en France pour le moment.

Bref, Easy CD évolue et demeure toujours aussi complet : MP3, CDDB, CD-Text, effets sonores spéciaux, fichiers MP3 gratuits sur le CD, et toujours les modules Video CD Creator (avec un éditeur très performant), Spin Doctor, Jewel Case Creator (pour les jaquettes), le tout pour 590 F : c'est ce qui se fera de mieux... quand l'overburning sera supporté !

Nero 5.0

- Version testée : 5.0/Français ;
- Editeur : Ahead ;
- Distributeur : Inelec-Winshare ;
- Environnement : Windows 95, 98 (avec pilotes Adaptec), NT 3,51 et 4.0 ;
- Prix : 400 F TTC ;
- Adresse : **www.ahead.de** ;

- Pilotes et compatibilité : **www.ahead.de/en/recorder .htm** ;
- Modèles : CD-ROM ISO, CD-ROM bootable, hybride (PC/Mac), audio, mixte, CD-Text, CD vidéo.

Graver tous les formats en utilisant toutes les méthodes possibles d'enregistrement ? Pour quelques centaines de francs, Nero sait faire : XA, CD audio, mixtes, HFS, bootable et même multisession avec liaisons entre sessions (pour un accès plus facile aux sessions multiples). Côté contenu, Nero gère parfaitement les CD audio : il sait extraire des pistes et convertir les fichiers Wav.

Les évolutions des standards sont toutes là : il est possible de graver tous les formats de systèmes de fichiers. On y trouve Joliet pour graver des noms longs de Windows 95, ISO modes 1 et 2, les jeux de commandes ASCII ou MS-DOS. L'interface est très conviviale : une fenêtre de "layout" contient l'arborescence des fichiers à graver et des menus à onglets pour choisir les options de gravure. Ces dernières sont innombrables et sauront faire face à tous les cas de figure : mode ISO (avec récupération d'image en provenance d'autres logiciels pour la compatibilité), gravure à la volée ou piste par piste.

Evidemment, la force de Nero, c'est l'overburning. Il examine la capacité du support vierge, celle du disque à copier, définit les paramètres d'overburning et lance la copie comme si de rien n'était !

Autre atout de Nero, le suivi constant de l'augmentation de la vitesse des graveurs. Progressivement, la vitesse de gravure qui, jusqu'ici, était figée à 2× (limite imposée par l'*Orange Book*, qui définit le CD-R) devient le 4× en standard. Les nouveaux graveurs qui sortent atteignent désormais le 6× en pointe, et tous les constructeurs vont mettre sur le marché des graveurs 8× avant la fin de l'année.

Le plus de la version 5

En 2000 est arrivée la version 5 du produit, qui a introduit de nombreuses nouveautés, plus ou moins satisfaisantes. La meilleure réussite, c'est le téléchargement possible du produit en version 5 pour les utilisateurs de la version 4 sur **www.ahead.de**. A ce propos, ne vous trompez pas ! Il existe une version "Démo" qui détruit votre ancienne version et la transforme en version 5 et une version 5 "mise à jour" qui préserve votre numéro de série !

Quoi de neuf ? Beaucoup de vidéo, un peu d'audio et pas mal de petites améliorations. En commençant par la "gravure multiple" qui permet de graver en "multitâche" sur des "tours de gravures". Pratique pour les petites séries. Dans ce cadre précis, Nero excelle vraiment, mais depuis longtemps.

La vidéo...

Il subsistait un point sur lequel Nero se révélait fort déficient : la vidéo. Ici, tout change, on adopte le format SVCD pour créer des CD vidéo au format MPEG-2. Avantage, la qualité est remarquable et on peut lire les disques ainsi créés sur des lecteurs de DVD de salon, quasiment avec l'aspect visuel d'un DVD. Inconvénient, on ne peut stocker que 35 minutes de vidéo sur un CD-R, à comparer aux 70 minutes d'un CD vidéo classique au format MPEG-1. Peu importe, Nero 5 crée l'un ou l'autre... avec les convertisseurs MPEG des autres, c'est son défaut. En effet le logiciel ne propose aucun programme de création de fichier MPEG, et manque singulièrement de souplesse quand il s'agit de récupérer les vidéos : ces dernières doivent être 100 % compatibles avec les spécifications du *White Book* ! Dommage, ces absences réduisent un peu la convivialité des fonctions vidéo.

Signalons que Nero permet de gérer à travers son modèle Video-CD toutes les interfaces standard des lecteurs Philips.

Le son...

On a également rajouté quelques fonctions audio : les filtres, qui contribuent à la qualité des disques vinyle, sont améliorés. On peut maintenant les tester en temps réel, les cumuler, comme dans WinOnCD. On trouve également des filtres de karaoké pour annuler la voix sur le CD-R audio : intelligent. L'interface utilisateur est légèrement améliorée de ce côté. Nero 5 est également compatible avec les listes M3U, des fichiers contenant des listes de séquences audio, sous une forme textuelle. Ce qui permet de les récupérer avec un simple éditeur de texte, et surtout, d'autoriser la lecture des CD-R créés pour contenir des séquences MP3 avec des logiciels MP3 classiques. Nero est d'ailleurs associé désormais à un outil de lecture MP3, le Nero Media Player.

Les fonctions "CD Database" sont aussi ajoutées, tout comme les nouveaux formats de fichiers WMA (Microsoft Audio). Dans ce cas, toutes les informations textuelles interagissent de manière transparente : créez un CD M3U, un CD-Text. Tout est automatique !

On a par ailleurs ajouté quelques fonctions de copie de CD-Extra et de CD multisessions. Bref une version très efficace.

Les utilitaires de Ahead

Ahead fournit un certain nombre d'outils complémentaires très pratiques pour son Nero. Ils sont tous disponibles sur :

http://www.ahead.de/en/Download.htm

Citons entre autres CD-ROM.CFG et CD-ROM.EXE, bases de données régulièrement mises à jour de tous les lecteurs de CD supportés et de leur compatibilité.

Il existe également NeroAspi, pilote ASPI totalement intégré à Nero, et qui offre un support parfait de ces fonctions avec les graveurs EIDE (à télécharger en premier en cas d'erreurs de gravure à répétition). Vous pourrez également utiliser "Bootmenu", qui permet de choisir au démarrage de Windows entre Nero et un autre logiciel de gravure, ce qui évite les conflits (souvent fréquents entre Nero et Easy CD ou WinOnCD).

LES OUTILS DE COPIE PHYSIQUE

Les outils de copie physique sont assez nombreux sur le marché, mais un seul peut réellement faire figure de leader : CDRWIN, de Goldenhawk. Vous le rencontrerez à de nombreuses reprises en exemple pratique dans cet ouvrage.

CloneCD

- Version anglaise 2.8.3.1 (1 700 Ko).
- Dernière mise à jour connue: 2 novembre 2000.
- Adresse : **http://www.elby.de/CloneCD/english/**.

Un petit outil, diffusé, comme ceux de Goldenhawk, exclusivement en ligne, a fait récemment son apparition sur Internet : il s'agit de CloneCD. CloneCD revendique le titre de "seul logiciel réalisant des copies exactes" : c'est une affirmation justifiée avec les graveurs et surtout les lecteurs de CD-ROM qui supportent toutes les subtilités de ce logiciel.

En effet, CloneCD réalise de vraies images ISO, 100 % standard et compatibles avec les spécifications du *Red Book*, c'est-à-dire en y incluant le contenu des subcode channels du disque. Il sait donc également copier des CD-Text, et certaines protections des logiciels PC. En contrepartie, le logiciel accède directement à l'intelligence des graveurs et à certaines fonctions des lecteurs de CD-ROM, ce qui provoque quelques plantages lorsque ces derniers ne sont pas totalement compatibles.

Ce logiciel fonctionne sur Windows 95 et 98, Windows NT 4.x et supérieurs, et Windows 2000. Il est disponible en version anglaise sur notre CD-ROM ou en téléchargement sur **http://www.elby.de/CloneCD/english/index.htm**.

L'ordinateur recommandé est au moins égal à un Pentium 133 équipé de 32 Mo de RAM.

Pour vous assurer que CloneCD est compatible avec votre matériel, consultez la liste de périphériques sur le site Web : **http://www.elby.de/CloneCD/english/requirements .htm**.

Pour utiliser CloneCD dans le cadre d'une copie de logiciels pour PC avec leur protection, vous aurez besoin d'un bon lecteur de CD-ROM EIDE, compatible avec le mode CD-Text (donc décryptant les subcode channels).

Vous aurez également besoin d'un graveur sachant créer des disques d'après le mode d'écriture MMC-DAO-Raw. Il semblerait que très peu soient ici compatibles : de nombreux proposent la fonction lorsque l'on questionne leur firmware, mais ne l'émulent pas vraiment, et provoquent des erreurs ! En cas de problème de ce type, essayez d'installer une nouvelle version de firmware sur votre graveur.

Les produits Goldenhawk

Les produits Goldenhawk sont réputés pour leur capacité à copier tout ce qui se présente ! Ce ne sont pas des outils de création, mais exclusivement des outils de reproduction, pourtant quelle efficacité ! Demandez donc à un détenteur de console PSX ce qu'il en pense. Tout le monde ou presque connaît le fameux Snapshot — mais CDRWIN est bien le nouveau chouchou des copieurs ; il fonctionne sous Windows et copie aussi bien que son glorieux ancêtre. Ces produits ne sont en vente que sur le Web — c'est leur seul défaut car, techniquement, ils n'ont que des qualités.

CDRWIN

- Version testée : 3.8B.
- Adresse : **www.goldenhawk.com**.
- Prix : 900 F.
- Démonstration : oui, sur **http://www.goldenhawk.com/download/**, fonctionnelle en mode 1×.
- Pilotes : **http://www.goldenhawk.com/ide.htm** vous donne toutes les informations pour utiliser un graveur EIDE.

Opérationnel sous Windows, simple à utiliser, compatible sans difficulté avec les bons graveurs EIDE (et tous les graveurs SCSI), CDRWIN est un outil limité au strict minimum (quelques boutons et quelques menus), mais d'une redoutable efficacité.

Enorme avantage de CDRWIN : il évolue sans cesse. Vous verrez plus loin qu'il existe même chez l'éditeur des programmes bêtas qui permettent de tester les futurs produits. A avoir à tout prix, au moins en version démonstration limitée à la gravure 1× si vous manquez de fonds !

N'utilisez CDRWIN sous Windows 95 que si vous êtes muni d'un graveur EIDE, sinon vous risquez de rencontrer des problèmes de compatibilité.

Les graveurs EIDE recommandés pour CDRWIN sont détaillés ci-après (source : **http://www.goldenhawk.com/ide.htm**). Les modèles de firmware recommandés pour assurer une compatibilité optimale de ces graveurs sont indiqués entre parenthèses.

- Acer 6206A (1.2A)
- Hewlett Packard 7100, 7200 (2.02)
- Hewlett Packard 7500, 8100, 8200 (tous)
- Memorex CRW-1622 (D3.6)
- Mitsumi CR-4801TE (2.01)
- Philips CDD3610 (2.02)
- Ricoh MP6200A (2.03 ou 2.20)
- Sony CRX100E, CRX110E (tous)
- Traxdata CDRW2260 PLUS (2.02)
- Wearnes CDRW-622 (D3.6)
- Yamaha (tous modèles)

Sur les graveurs plus anciens :

- Ricoh MP6200A (2.03 ou 2.20)
- Traxdata CDRW2260 Plus (2.02)
- Wearnes CD-RW-622 (D3.6)

La version 3.8B assure par ailleurs le support de nouveaux graveurs :

- Creative Labs 8433
- Panasonic 7585
- Hewlett Packard 8290/9500/9600

- Sony CRX160
- Toshiba SD-R1002

Les disques Creative 4210, Sony 900E, JVC XR-W2001, Pinnacle RCD1000, et Pinnacle RCD5020 ne sont en revanche plus supportés par le logiciel.

Les évolutions successives

La version 3.6 avait apporté de nombreuses modifications dont un nouvel écran Backup Disk, plus simple à utiliser, avec toutes les options rassemblées sur un écran unique. Vous n'avez qu'à choisir votre périphérique et à cliquer sur Start pour lancer la copie ou la sauvegarde.

- L'écran Extract Disk est redéfini pour permettre la copie d'images de disques, de pistes et plus simplement de secteurs.
- Depuis la version 3.5, l'enregistreur HP8100/8110 est supporté (il permet la lecture de disques de karaoké CD+G).
- L'écran de configuration contient de nouvelles options pour configurer le mode d'utilisation des disques durs de votre PC, notamment pour les sauvegardes d'images ISO.

CDRWIN reçoit également un éditeur graphique, un système de gestion de copies de systèmes de fichiers ISO 9660 et, surtout, fait très intéressant, une option pour copier les sessions multiples reliées entre elles.

CDRWIN est également muni d'un éditeur de texte très intelligent, prévu pour ajouter des commentaires dans les disques audio au format CD-Text : c'est à notre avis le moyen le plus convivial pour transformer votre discographie et l'adapter à cette nouvelle possibilité.

Dans la version 3.7D, plus aucune restriction de taille d'image ISO n'existe. En d'autres termes, si CDRWIN rencontre un graveur muni du firmware approprié et qu'un disque de 80 minutes est inséré, le logiciel sait parfaitement copier jusqu'à 80 minutes de données.

En revanche, CDRWIN n'est muni d'aucune fonction pour reconnaître les disques overburnés de 74 minutes et refuse donc de les copier.

La version 3.8 et le MP3 !

Et dans la version 3.8, surprise, le support du MP3 ! Le logiciel CDRWIN sait maintenant convertir directement un fichier Wav en séquence MP3 et la coder automatiquement en Raw Mode à graver, à la volée, sur un CD-R audio !

Le codec utilisé ici est sous licence Xaudio, et peut être manipulé *via* les dispositifs d'édition du logiciel, par l'entremise de la fonction "charger une piste". Egalement au menu, une fonction de sauvegarde de fichier. Bref, hormis les nouveaux graveurs et le MP3, peu de nouveautés dans la version 3.8.

DAO et Snapshot

- Adresse : **www.goldenhawk.com**.
- Démonstration : oui, sur **http://www.goldenhawk.com/download/**.
- Pilotes : **http://www.goldenhawk.com/support/ide.htm** vous donne toutes les informations pour utiliser un graveur IDE.

DAO et Snapshot sont les ancêtres DOS de CDRWIN : des outils efficaces pour copier, mais malheureusement dépassés. Ils sont vraiment trop compliqués à utiliser.

A télécharger tout de même à l'adresse ci-avant, ne serait-ce que pour bénéficier de tous les petits utilitaires qui permettent de réaliser une multitude de tests sur graveurs et lecteurs de CD.

PSX Backup associé à DAO

http:/www.goldenhawk.com.

PSX Backup est un utilitaire (payant) qui contrôle le logiciel de copie DAO et son outil CDCLIP. C'est en quelque sorte une interface conviviale pour Snapshot sous Windows, qui sert à copier les pistes plus facilement (et qui par ailleurs adopte des configurations qui permettent de franchir automatiquement certaines protections, telles que les pistes audio de quatre secondes). En fait, le vrai problème de PSX Backup, c'est qu'il est en allemand, et son site également. Mis à part ce petit désagrément, PSX Backup est vraiment le meilleur moyen d'utiliser DAO et Snapshot.

La gamme Gear

- Adresse : **www.gearsoftware.com.**
- Prix : environ 900 F.
- Démonstration : disponible notamment sur **http:// www. gearsoftware.com** (section Démo).
- Pilotes : la plupart des graveurs EIDE/SCSI supportés. Vous pouvez télécharger un pilote générique à l'adresse **http://www.Gearsoftware.com** (section Support update).

La gamme des outils Gear est assez peu connue, quoique bien conçue et capable de nombreuses gravures. Gear est issu du système Unix, pour lequel il fut créé afin de servir à l'industrie de la duplication. Il est porté sous Windows avec une interface utilisateur très conviviale.

Les points forts des outils Gear sont :

- Un système créé pour la duplication industrielle et donc d'un haut niveau de fiabilité.
- Une grande rapidité.
- Une interface simplifiée au maximum.
- Des outils de prémastering professionnels, idéaux pour générer des disques prêts à graver sur Glass Master.
- Les robots de gravure supportés pour les petites séries.

La gamme est divisée en plusieurs applications.

CD-R Suite

Les trois utilitaires qui composent la gamme de Gear, regroupés en un seul ensemble, sont :

- Replicator ;
- Gear Audio (duplication de CD, de vinyles et de sources audio existantes) ;
- Webgrabber, outil pour copier un site Web sur un CD-ROM.

Examinons ces produits, en passant sur Webgrabber, qui est une application très spécialisée.

Replicator

Replicator est un logiciel de gravure réduit à sa plus simple expression : un assistant pour Windows 95 et NT 4.0, qui permet de créer une copie de la plupart des CD-ROM du marché, des CD vidéo ou des disques audio.

La marche à suivre est simple :

1. Insérez un disque original.
2. Choisissez l'option de stockage temporaire.

3. Lisez le contenu.
4. Insérez un disque vierge.

Difficile de faire plus convivial ! Replicator s'inspire en fait du concept de CDRWIN. Sans atteindre son niveau d'exhaustivité (Replicator bute sur certaines protections, telles que les secteurs audio de quatre secondes), il copie néanmoins 90 % des disques du marché !

Gear Audio 1.0

Gear Audio est un outil de copie de toutes sources audio. Avantage : ses filtres lui permettent de supprimer les cliquetis et autres nuisances sonores. C'est idéal pour transférer des disques vinyle.

L'interface est agréable et il est possible de modifier les propriétés d'un son ou d'une séquence sonore directement depuis le logiciel.

Les outils spécialisés audio

Quelques logiciels font de la copie de disque audio ou du passage du vinyle au CD leur spécialité. Voici les outils les plus marquants.

CD Audio Creator

- Outil de création de CD-R audio.
- Version : 1.0.
- Editeur : Micro Application — Data Becker.
- Distributeur : Micro Application.
- Configuration de test : PC 6x86 200, 32 Mo de RAM, dd 1,6 Go.
- Environnement : Windows 95/98.
- Prix : 209 F TTC.

CD audio Creator est un très bon outil pour votre graveur. A quoi sert-il ? A graver à peu près n'importe quelle source sonore sous forme de CD audio ! C'est en quelque sorte l'outil idéal pour récupérer des séquences depuis un disque vinyle, une cassette audio ou encore depuis une carte son. Au programme, toutes les fonctions indispensables pour manipuler et gérer les sons analogiques : élimination de parasites, bien sûr, mais aussi toute une gamme d'effets et des options amusantes comme le bouton "medley".

L'inconvénient ? C'est qu'il faut stocker le son sur le disque dur, et un CD audio prend de la place : complet, il occupe près de 700 Mo ! Vous n'y pouvez rien, et le logiciel non plus, c'est la contrainte inhérente au son digital audio. La liste des graveurs supportés n'est pas très longue en apparence, mais, par le jeu des OEM, la plupart des graveurs EIDE et SCSI du marché seront supportés. Un produit très simple et performant à avoir dans sa "gravothèque" !

Gear Audio

- Editeur : Elektroson.
- Environnement : Windows 3.x, 95, 98 (avec pilotes Adaptec), NT 3.51 et 4.0.
- Fonctions : copie et création audio, filtrage et transformation de sources sonores analogiques en disque DA.

Logiciel déjà ancien sur le marché, mis à jour depuis peu et redistribué sur le marché français. Manque quelque peu de fonctions, mais est remarquablement stable.

Les logiciels OSTA UDF pour disques réinscriptibles

La norme OSTA UDF (Association des technologies de stockage optique pour un format de disque universel) est aux disques réinscriptibles ce que le MS-DOS était à nos disquettes : un système de gestion de fichiers. Il permet d'organiser des CD-RW, lesquels, exploités à la manière d'un CD-R, ne pourraient recevoir que des données figées, sous la forme de disque accessible comme une disquette. La version actuelle de l'OSTA UDF, la 1.5, répond à la norme ISO 13346. Il existe quelques utilitaires gratuits qui permettent de lire les CD-RW inscrits en mode OSTA UDF. C'est très pratique, par exemple, pour fournir un CD-RW à un correspondant et simultanément lui communiquer le pilote OSTA qui lui permettra de lire son disque.

Consultez l'adresse suivante : **http://www.adaptec.com/products/overview/udfreaders.html**.

Tous les pilotes OSTA UDF gratuits sont nécessaires.

Pour enregistrer en UDF, Cequadrat propose son logiciel d'écriture Packet CD, de très bonne facture ; quant à Nero, il inclut en standard depuis sa dernière version le mode OSTA UDF. Chez Adaptec, c'est Direct CD qui se charge de créer ce type de disque.

Utilitaires d'écriture directe

Il existe également de petits outils qui permettent d'utiliser les CD-RW exactement comme une disquette : c'est le cas de Direct CD d'Adaptec. Avec lui, vous formatez votre CD-RW puis, vous faites glisser vos fichiers sur le disque directement avec l'Explorateur de Windows. La dernière version connue à la date de rédaction est accessible sur **http://www.adaptec.com/support/advisor/cdrupdates/ecdc402dcd301recupd.html.**

Quelques mots sur l'auteur

Journaliste, il collabore régulièrement à *PC Magazine* et *Computer Plus*. Rédacteur en chef des Hors-séries pour le groupe Sepcom (*1 000 trucs et astuces, Construisez votre PC*).

Livres

Se Former en 1 Jour Gravure des CD (Editions CampusPress, 1998-1999)

Se Former en 1 Jour Gravure des CD audio (Editions CampusPress, 1999)

Le Starter Gravure des CD (Editions CampusPress, 1999)

Le Starter Créer un intranet (Editions CampusPress, 2000)

Solutions.net Créer un site Internet (Editions CampusPress, 2000)

Le Magnum Gravure des CD & DVD (Editions CampusPress, 2000)

Une bibliographie complète est consultable sur la page personnelle de l'auteur.

Sites Internet

http://martignan.com/echarton (page personnelle)

http://www.webgratuit.com

Index

Numériques

A

B

C

D

E

F

G

H

I

J

K

L

M

N

O

P

R

V

W

X-Y-Z

LOUIS - JEAN
avenue d'Embrun, 05003 GAP cedex
Tél. : 04.92.53.17.00
Dépôt légal : 425 – juillet 2001
Imprimé en France